1994

Collection
of the
Postage Stamps
of Canada

Collection
des
timbres-poste
du Canada

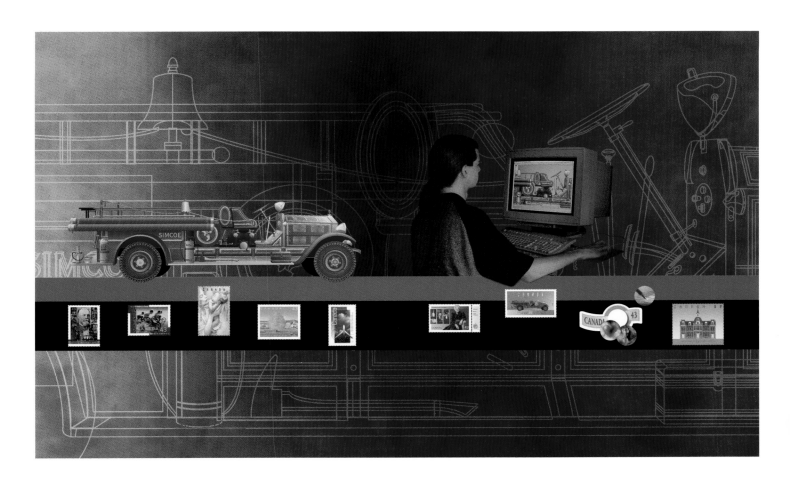

MAIL POSTE

Canada Post Corporation / Société canadienne des postes

Published by Canada Post Corporation
Design:
Pierre-Yves Pelletier Design incorporée
Computer treatment: Michel Pelletier
Cancellation dies: Bernard Reilander
Research: Tom Reynolds, Céline Camirand,
Dan McNutt, Louise Ellis, Robert G. Hill,
Heritage Research Associates,
Dr. Richard Harrington
Writing: Louise Ellis, Leslie Elizabeth Ebbs,
Guy Patenaude
Adaptation: Madeleine Côté Gélinas,
Hélène Laplante, Judith Terry
Editing: Brenda Missen, Francine Morel
Foreign language translation:
Ethnic Communicators
Visual research: Claude Huguet
Films: Le groupe LithoChrome inc.
Printing: Metropole Litho Inc.
Coordination: Georges de Passillé,
Danielle Trottier

Special thanks to Telmet Design Associates,
Aéroports de Montréal,
Herzig Somerville Limited and
Sucrerie de la Montagne

Configuration of actual stamps
may vary from that of illustrations
under stamp mounts.

Publié par la Société canadienne des postes
Conception :
Pierre-Yves Pelletier Design incorporée
Traitement informatique : Michel Pelletier
Cachets d'oblitération : Bernard Reilander
Recherche : Tom Reynolds, Céline Camirand,
Dan McNutt, Louise Ellis, Robert G. Hill,
Heritage Research Associates,
Dʳ Richard Harrington
Rédaction : Louise Ellis, Leslie Elizabeth Ebbs,
Guy Patenaude
Adaptation : Madeleine Côté Gélinas,
Hélène Laplante, Judith Terry
Révision : Francine Morel, Brenda Missen
Adaptation en langues étrangères :
Communicateurs ethniques
Recherche visuelle : Claude Huguet
Pelliculage : Le groupe LithoChrome inc.
Impression : Metropole Litho Inc.
Coordination : Georges de Passillé,
Danielle Trottier

Remerciements particuliers à Telmet Design Associates, à
Aéroports de Montréal, à
Herzig Somerville Limited et à
la Sucrerie de la Montagne

La disposition des timbres fournis
peut différer de celle des illustrations qui se
trouvent sous les pochettes protectrices.

Contents   Sommaire

Innovation is at the heart of all progress, whether in societies, industries or the arts. Without innovation, societies, economies and culture would stagnate. The same is true of the production of stamps at Canada Post. As far as the Corporation is concerned, it is innovative subject matter, design and production techniques that keep collectors interested and involved.

Innovations in stamp production are made possible by technological and creative breakthroughs. But every new concept must also be cost-effective to be incorporated into a new stamp issue. The 1992 hologram stamp, for example, could become a reality only when the technology required was affordable.

"We try to keep our costs under control, but we also try hard to keep the hobby interesting and affordable for the collector," says Director of Stamp Products Dean Karakasis. As far as design style is concerned, Canada Post always tries to stretch the creative limits – but not so far that a product becomes unmarketable.

This year, three stamp issues broke new ground for Canada Post on very different fronts: the Greeting Stamps introduced a whole new concept in both design and correspondence; the Historic Vehicles set was designed and produced entirely on computer, using state-of-the-art technology; and the Eaton's issue forged a marketing alliance between Canada Post and a retail corporation.

The Greetings issue is a marriage of two new concepts. The stamps are self-adhesive and are also the first that can be "custom-made" to convey an appropriate greeting. Self-adhesive stamps or "Quick Sticks" were introduced in Canada in 1989 as a flag definitive, and Canada Post intended to take the concept further.

L'innovation nourrit le progrès et empêche la stagnation des institutions sociales, économiques et culturelles. La production philatélique n'échappe pas à cette affirmation. Reculer les limites, présenter des thèmes inexplorés, créer des motifs au moyen de nouvelles techniques : voilà autant d'avenues qu'emprunte la Société canadienne des postes pour alimenter la passion des philatélistes.

En matière de conception de timbres, toutes les innovations sont le fruit de découvertes – heureusement fréquentes – sur les plans de la technologie et de la création. Pour qu'un nouveau concept soit intégré à la production philatélique, son rapport coût-efficacité doit être intéressant. Le timbre orné d'un hologramme, émis en 1992, n'a pu être réalisé que lorsque la technologie nécessaire à sa création est devenue abordable.

«Nous tentons de contenir les coûts de production tout en essayant de faire en sorte que la philatélie demeure un passe-temps intéressant à prix raisonnable», déclare Dean Karakasis, directeur aux Produits philatéliques. En ce qui concerne la conception des motifs, la Société canadienne des postes aspire toujours à reculer les frontières de la création en renonçant toutefois aux produits qui ne recevraient pas la faveur du public.

En 1994, trois émissions ont permis à la Société canadienne des postes de s'engager en terrain nouveau : les timbres-souhaits, les vignettes sur les véhicules historiques et la figurine consacrée à Eaton. En plus d'innover sur le plan du motif, les timbres-souhaits ajoutent un brin de fantaisie à l'activité épistolaire; le jeu consacré aux véhicules a été entièrement conçu et produit à l'aide des techniques d'infographie les plus récentes, et l'émission consacrée à Eaton résulte d'une collaboration entre la Société canadienne des postes et une entreprise de vente au détail.

Shown clockwise:　　Dans l'ordre habituel :

Tarzan Communication Graphique with Georges de Passillé

Telmet Design Associates with William Danard

Representatives of the T. Eaton Company with Iain Baines and Jerry Jones

Tarzan Communication Graphique et Georges de Passillé

Telmet Design Associates et William Danard

Représentants de La compagnie T. Eaton, Iain Baines et Jerry Jones

The Corporation was also considering producing a "love stamp" or special message stamp similar to those issued in other countries. This idea was eventually broadened to include many special occasions likely to prompt correspondence. It was decided that these stamps should be part of the Quick Stick product line.

At the same time, design manager Georges de Passillé introduced a concept that seems to have made the stamps unique in the world – a "piggyback" design that allows customers to choose an appropriate image for every stamp they use. To make this avant-garde concept a reality, de Passillé turned to Steve Spazuk of Tarzan Communication Graphique in Montréal – a designer with a daring and experimental approach to design.

Spazuk took full advantage of the fact that self-adhesive stamps are die-cut rather than perforated and can therefore be cut into any shape. Dispensing with squares and rectangles, he made countless drawings and layouts. The final choice was a banner-like stamp with a circular space for a sticker that would convey a visual message.

Spazuk wanted these stickers to be innovative, too, so he determined to use custom photography – a medium rarely used on stamps. Montréal photographer Adrien Duey was chosen for the job because of his unusual technique of highlighting his subjects. As a result, the images for the stamps are imbued with a warmth most appropriate for sending heartfelt wishes.

Les timbres-souhaits réunissent deux nouveaux concepts : ils sont autocollants et peuvent être personnalisés selon le message à transmettre. Après l'apparition des timbrexpress sur le marché canadien en 1989, la Société examine la possibilité de produire, à l'instar d'autres pays, une figurine postale portant un message.

Étoffant l'idée, on décide de créer des vignettes qui agrémenteront la correspondance liée à diverses occasions et d'intégrer ces timbres à la gamme des timbrexpress.

C'est alors que Georges de Passillé, gestionnaire aux Produits philatéliques, présente une formule qui rendra ces timbres uniques au monde : au centre de leur motif, on pourra apposer la vignette de son choix. La réalisation de cette idée avant-gardiste est confiée à un artiste de Montréal connu pour son approche audacieuse et expérimentale, Steve Spazuk, de Tarzan Communication Graphique.

Les timbrexpress, qui sont découpés à l'emporte-pièce, peuvent adopter un contour inusité. Spazuk fait d'innombrables croquis pour retenir la forme d'une banderole munie en son centre d'un espace circulaire destiné à recevoir une vignette.

Pour habiller le centre, le créateur opte pour la photographie, médium rarement utilisé dans la création des timbres. Le travail est confié au photographe Adrien Duey, de Montréal, pour sa mise en lumière exceptionnelle des sujets.

Dean Karakasis
Director
Stamp Products

Dean Karakasis
Directeur
Produits philatéliques

This year's Historic Vehicle stamps are notable for their unprecedented use of computer hardware and software to create detailed images. According to the coordinator of the stamp design, William Danard, "it has never before been possible to attain this degree of meticulous detail with such speed. Detailed images based on the traditional method of drawing and painting, like those in the locomotive series, are more time-consuming to create and are difficult, if not impossible, to modify or correct without starting over." In contrast, a computer makes changes and refinements easy up to the last minute.

The process involved in producing these six stamps, however, was extremely complex. The computer drawings often had to be created from a variety of sources, including written descriptions. The snowblower, for example, was parked so close to other vehicles that it had to be photographed in sections and then assembled on the computer.

Designer Tiit Telmet first scanned and digitized the photographs and, using an illustration program with a tracing function, generated preliminary outlines of each vehicle. He then converted these into scale drawings, which underwent several generations of correction and improvement before they were approved.

The final full-colour illustrations were also created on the computer; they were monitored in progress by producing colour laser proofs until the desired effect was achieved at stamp size. The typography and the souvenir sheet layout, also computer-generated, were then combined on the computer with the illustrations to produce the final design. Even the production films and plates used to print the stamp issue were produced directly from these final electronic files.

Despite the impressive capabilities of this new technology, it is important to remember how indispensable the designer is. "A computer is useless without the artistic and technical judgments of the designer," says Danard. "A computer can easily change a colour, for example, but it's the designer who decides on that colour."

Marketing is another area in which Canada Post has been making strides. The Corporation uses a range of marketing techniques, including sponsorships, cross-promotions, image and awareness programs and unique stamp-related product offers, all of which build on the excellence of Canada Post's stamp designs and help raise public awareness about Canada's history and heritage.

L'émission de 1994 consacrée aux véhicules historiques est remarquable par l'utilisation sans précédent qu'on a fait de l'informatique pour créer le détail des motifs. Selon le responsable du projet, William Danard, «Un travail d'une telle méticulosité n'a jamais pu être réalisé si rapidement. Pour créer le détail de la locomotive, selon la méthode traditionnelle du dessin et de la peinture, il aurait fallu compter beaucoup de temps. Un tel motif se corrige difficilement, et pour apporter des modifications, il faut tout reprendre depuis le début.» L'ordinateur permet de modifier et de redéfinir facilement les détails jusqu'à la toute fin.

La démarche adoptée pour la production fut très complexe. Pour certains des véhicules, il a fallu créer, à l'aide de l'ordinateur, des dessins inspirés d'une variété de sources, y compris des descriptions écrites et des photos. (La souffleuse était si près d'autres véhicules qu'on a dû la photographier en sections et rassembler le tout à l'aide de l'ordinateur.)

Le graphiste Tiit Telmet a d'abord balayé et numérisé les photographies. Créant ensuite des illustrations à l'aide d'un programme doté d'une fonction de traçage, l'artiste a produit les tracés préliminaires de chaque véhicule. Par la manipulation, il a créé des dessins à l'échelle qu'il a ensuite corrigés jusqu'à l'obtention de l'image désirée.

Malgré les grandes possibilités qu'offre l'informatique, il ne faut pas oublier le travail indispensable du graphiste. «L'ordinateur est inutile sans l'apport artistique et technique du graphiste, explique William Danard. Il permet de modifier une couleur, mais c'est le graphiste qui la choisit.»

Le marketing est un autre secteur dans lequel la Société canadienne des postes se démarque. Commandites, promotions groupées, programmes de sensibilisation et produits connexes sont autant de techniques qui enrichissent la réputation déjà excellente des timbres canadiens et qui contribuent à sensibiliser la population à l'histoire et au patrimoine du Canada.

La réalisation de livrets de prestige exige une étroite collaboration entre les secteurs Produits philatéliques et Marketing des produits philatéliques. Grâce à ce nouveau produit, des institutions, en partenariat avec la Société canadienne des postes, peuvent constituer le sujet d'une émission de timbres offerte sous forme de livret de prestige. Le premier livret portait sur la Société canadienne des postes. Ont également été mises à l'honneur l'université Queen's, en 1991, la Ligue nationale de hockey, en 1992, et, en 1994, La compagnie T. Eaton.

Innovations in stamp production are made possible by technological and creative breakthroughs.

En matière de conception de timbres, toutes les innovations sont le fruit de découvertes sur les plans de la technologie et de la création.

Les illustrations en couleur ont également été réalisées par infographie, et des épreuves laser en couleur ont été produites jusqu'à ce qu'on obtienne l'effet souhaité aux dimensions du timbre. La typographie et la maquette du bloc-souvenir ont ensuite été combinées aux illustrations à l'aide du même procédé en vue de produire le motif final.

One marketing innovation has involved a close collaboration of the Stamp Products and Stamp Marketing divisions to introduce prestige booklets. With this new program, certain institutions can become the subject of a stamp issue and prestige booklet, as well as a partner with Canada Post in production and marketing. The first booklet – something of a trial run – featured Canada Post in its new corporate identity. Since then, alliances have been created with Queen's University (1991), the National Hockey League (1992) and, this year, the T. Eaton Company.

To qualify for the program, an institution must first meet Canada Post's criteria for selecting a stamp subject. Design manager Iain Baines, who has worked on every prestige booklet so far, emphasizes the historical significance of the Eaton's retail chain: "It has had an enormous impact on Canada's economic development since its founding 125 years ago. Timothy Eaton actually revolutionized the retail industry in Canada."

As a long-established retail chain, Eaton's had the advantage of being well equipped to bring the stamp to a much broader audience than would have been possible without this alliance.

These three stamp issues provide a glimpse behind the scenes at Canada Post, where fresh ideas are always being considered and implemented. "Although our stamp products are in a constant state of evolution, some years, like 1994, are real watersheds," says Karakasis. All in all, Canada Post is at the leading edge in every aspect of stamp production, hoping to inspire collectors and non-collectors alike.

Pour faire l'objet d'un livret de prestige, une institution doit répondre aux critères établis pour le choix des sujets des timbres-poste. Le gestionnaire des produits philatéliques Iain Baines, qui travaille au projet des livrets de prestige depuis sa création, insiste sur la signification historique de l'empire Eaton : «L'entreprise contribue depuis 125 ans à l'essor économique du Canada. Timothy Eaton a révolutionné l'industrie canadienne de la vente au détail.»

À titre d'entreprise ancrée dans la vie des Canadiens et des Canadiennes, Eaton, en collaboration avec la Société canadienne des postes, était en mesure d'assurer la vaste diffusion du livret de prestige.

Ces trois émissions de timbres laissent entrevoir un aspect caché de la création des timbres, qui repose en très grande partie sur l'apport d'idées nouvelles. «Bien que nos produits philatéliques évoluent constamment, certaines années, comme 1994, sont un véritable tournant», affirme Dean Karakasis. Tout compte fait, la Société canadienne des postes demeure un chef de file dans la production des timbres grâce auxquels elle compte ravir les collectionneurs et le grand public.

Dean Karakasis
Director
Stamp Products

Louise Maffett
Corporate Manager
Stamps and Philately

Alain Doucet
Director
Stamp Marketing

Dean Karakasis
Directeur
Produits philatéliques

Louise Maffett
Directrice nationale
Produits
d'affranchissement
et de philatélie

Alain Doucet
Directeur
Marketing des
produits philatéliques

Canadian *Extraordinaire*

Une Canadienne éminente

Born in Saskatchewan in 1922, Jeanne Benoit spent most of her childhood and adolescence in Ottawa. At university, she became fervently involved with the Jeunesse étudiante catholique (Young Catholic Students) – a lay movement for students. Fluently bilingual, Benoit proved to be a superb writer and speaker. Her commitment to federalism also took root at this time.

In 1948, Jeanne Benoit married Maurice Sauvé. Four years later, she launched a career as a public affairs journalist and broadcaster on French radio and television, becoming one of the first women in Canada to be taken seriously as a political commentator. In 1956, her discussion show "Opinions," aimed at young people, brought her instant and lasting fame.

Mme Sauvé became increasingly involved in public life but, by 1972, was ready to play a more direct role in shaping political events.

She won a federal seat and became the only woman in Prime Minister Trudeau's new cabinet and the first female minister from Quebec. Within three years, she had been given the senior portfolio of Communications.

It came as a shock to her when, in 1980, Trudeau asked her to assume the role of Speaker of the House. The position was daunting for a woman who, as she herself said, didn't like to "order people about." Despite initial criticism and crises, Mme Sauvé rose to the challenge. But her health was too fragile for the job, and in 1984, she was happily sworn in as Governor General – another first for a Canadian woman.

Née en Saskatchewan, en 1922, Jeanne Benoit passe la plus grande partie de son enfance et de son adolescence à Ottawa. À l'université, elle adhère à la Jeunesse étudiante catholique, mouvement laïque en milieu étudiant. Parfaitement bilingue, elle se révèle une rédactrice et une oratrice hors pair. C'est à cette époque que commencent à se former ses convictions fédéralistes.

En 1948, Jeanne Benoit épouse Maurice Sauvé. Quatre ans plus tard, elle fait ses premières armes comme journaliste aux affaires publiques et comme animatrice à la radio et à la télévision françaises. Elle deviendra l'une des premières femmes au Canada à se bâtir une réputation de fine analyste de la scène politique. En 1956, son émission de débats «Opinions», conçue pour les jeunes, lui procure une notoriété soudaine qui ne se démentira jamais.

Son intérêt pour la chose publique va croissant et la pousse en politique active. Élue à la législature fédérale en 1972, elle est la seule femme au sein du nouveau cabinet de Pierre Trudeau et devient la première Québécoise à occuper un poste de ministre au gouvernement fédéral. Moins de trois ans plus tard, on lui confiera l'important portefeuille des Communications.

À son grand étonnement, en 1980, Pierre Trudeau l'appelle à présider les travaux de la Chambre des communes. La tâche n'est pas de tout repos pour cette femme qui dit répugner à donner des ordres. Malgré les critiques et les soubresauts du début, elle relève le défi haut la main. Sa santé l'oblige cependant à abandonner la présidence des Communes, mais c'est avec joie qu'elle accepte, en 1984, la charge de gouverneur général, autre première dans l'histoire des Canadiennes.

En sa qualité de chef de l'État canadien, Mme Sauvé met à profit ses talents de diplomate, de gestionnaire, d'écrivain et d'analyste tout autant que ses qualités d'hôte. Elle parcourt

Through the wit, warmth and dignity that marked her whole career, Jeanne Sauvé, the first woman to serve as Canada's Governor General, won the admiration of Canadians everywhere.

Première femme gouverneur général du Canada, Jeanne Sauvé a gagné l'admiration des Canadiens par l'intelligence, la chaleur et la dignité qui ont imprégné toute sa carrière.

également le pays dans une vaste croisade en faveur de l'unité nationale. Elle se retire en 1990 et se consacre dès lors à la Fondation Jeanne Sauvé pour la jeunesse, la cause des jeunes lui tenant à cœur depuis toujours.

As Governor General, Mme Sauvé drew on her skills as a diplomat, administrator, writer and analyst – and on her penchant for entertaining. In her commitment to national unity, she travelled extensively around the country. Retiring in 1990, she devoted herself to the Jeanne Sauvé Youth Foundation and her long-standing concern for young people.

Mme Sauvé, who died in 1993, will long be remembered not only for her contributions to public life, but for the wit, warmth and dignity she brought to every phase of her career.

Montréal designers Tom Yakobina and Jean Morin have combined a colour portrait of Mme Sauvé by Yousuf Karsh with black-and-white photographs by André Le Coz, Greg Lorfing and Mike Pinder. Hans Blohm is responsible for the photography on the four tabs, which highlight the four phases of her career: journalist, MP, Speaker of the House and Governor General.

Au-delà de ses nombreuses réalisations, Mme Sauvé, qui est décédée en 1993, se survivra dans la mémoire des Canadiens et des Canadiennes par l'intelligence, la chaleur et la dignité qui ont imprégné toute sa carrière.

Les concepteurs montréalais Tom Yakobina et Jean Morin ont réuni un portrait couleur de Mme Sauvé, signé Yousuf Karsh, et des photographies noir et blanc, réalisées par André Le Coz, Greg Lorfing et Mike Pinder. Les objets ornant les bandelettes et rappelant les quatre principaux volets de la carrière de cette grande dame – tour à tour journaliste, députée, présidente de la Chambre des communes et gouverneur général – ont été photographiés par Hans Blohm.

Specifications		*Données techniques*	
Denomination:	43¢ (1 stamp, 4 tabs)	*Valeur :*	0,43 $ (1 timbre, 4 bandelettes)
Date of Issue:	8 March 1994	*Date d'émission :*	8 mars 1994
Design:	Tom Yakobina, Jean Morin	*Conception :*	Tom Yakobina, Jean Morin
Photography:	Hans Blohm, Yousuf Karsh, André Le Coz, Greg Lorfing, Mike Pinder	*Photographie :*	Hans Blohm, Yousuf Karsh, André Le Coz, Greg Lorfing, Mike Pinder
Printer:	Canadian Bank Note Co. Ltd.	*Impression :*	Canadian Bank Note Co. Ltd.
Quantity:	15,000,000	*Tirage :*	15 000 000
Dimensions:	Stamp – 40 mm x 27.5 mm (horizontal) Tab – 8 mm x 27.5 mm (vertical)	*Format :*	timbre – 40 mm sur 27,5 mm (horizontal) bandelettes – 8 mm sur 27,5 mm (vertical)
Printing Process:	Lithography in six colours	*Procédé d'impression :*	lithographie en six couleurs
Pane Layout:	20 stamps 20 tabs	*Présentation :*	20 timbres 20 bandelettes

Retailer to the Nation

Au service de toute une nation

When Timothy Eaton opened a dry-goods store in Toronto 125 years ago, he advertised a revolutionary concept: goods sold for "CASH ONLY" and at one price. This policy of cash sales and fixed prices in the days of barter, haggling and credit was the first of his many innovations in the retail industry. With a combination of personal integrity and iron-willed determination, Eaton laid the foundation for a business – an empire, in fact – that has thrived to this day.

Eaton's introduction to retailing came in his teens, when he served an arduous seven-year apprenticeship in a general store in his native Ireland. At 20, he followed his siblings to Canada and, with one of his brothers, opened a small store in southern Ontario. A recent convert to Methodism, Eaton devoted himself to running the business in ways that would benefit both merchant and customer.

Opening a store in Toronto in 1869 allowed Eaton finally to implement his ideas. Because Toronto was a rapidly growing city with money circulating among its many wage-earners, there was a marked increase in the demand for and manufacture and consumption of goods previously available only to the middle and upper classes. Eaton offered his working-class customers cheap, good-quality merchandise and also promised what no other retailer did: "Goods satisfactory or money refunded." His efforts were amply rewarded: in 1882, he expanded to a new store with three floors and 35 departments.

Eaton's greatest innovation was probably the mail-order catalogue. Introduced in 1884, it was an immediate success – and a lifeline for settlers out west. Eaton's later offered two unprecedented incentives: they would pay the cost of postage to return unsatisfactory goods, and, if they didn't have what the customer ordered, they would send something better for the same price.

Lorsqu'il inaugure son magasin à Toronto, il y a 125 ans, Timothy Eaton lance sa politique de vente de marchandises à prix fixes et payables au comptant. En ces jours où troc, marchandage et vente à crédit sont monnaie courante, Eaton fait preuve d'un esprit d'innovation qui restera sa marque de commerce. Homme intègre doué d'une volonté de fer, il pose la première pierre d'un édifice commercial qui, encore aujourd'hui, est solide comme le roc.

C'est dans son Irlande natale que Eaton, alors adolescent, passe sept longues années comme apprenti dans un magasin général. À 20 ans, il émigre au Canada pour y rejoindre ses frères et sœurs, puis ouvre avec l'un d'eux un petit magasin dans le sud de l'Ontario. Récemment converti au méthodisme, il fonde son credo commercial sur l'équité des échanges entre marchand et client.

L'ouverture de son premier magasin, en 1869, est pour l'entrepreneur l'occasion de mettre ses idées à l'épreuve. Ville en pleine croissance où vit une main-d'œuvre abondante, Toronto voit croître la demande, la production et la consommation d'articles auparavant réservés aux classes moyennes et aisées. Eaton propose à la classe ouvrière des produits bon marché et de qualité, assortis d'une promesse unique : «Argent remis si la marchandise ne satisfait pas.» Il est récompensé de ses efforts : en 1882, il s'installe dans un nouveau magasin comptant 35 rayons répartis sur trois étages.

Le trait de génie de Timothy Eaton reste sans doute le catalogue de produits pour la vente par correspondance. Lancée en 1884, l'idée est un véritable coup de maître, et le catalogue fait désormais partie de la trousse de survie des colons de l'Ouest. Eaton bonifie la formule de deux garanties exceptionnelles : le retour des marchandises non satisfaisantes sera payé par l'entreprise, et tout article épuisé sera remplacé, au même prix, par un article de qualité supérieure.

With extraordinary energy and initiative, Timothy Eaton built a company that today, 125 years after its foundation, remains one of the brightest jewels of Canada's retail industry.

Grâce à un esprit d'initiative hors du commun, Timothy Eaton a bâti une entreprise qui, 125 ans après sa fondation, demeure l'un des joyaux du commerce de détail au Canada.

A generous and benevolent employer, Eaton reduced the working hours of his employees. His concern for their welfare fostered great loyalty to himself and the company – and set the tone for future generations. After he died in 1907, his family-run enterprise mushroomed to an extent he could never have imagined, prospering from his honest, creative approach to business.

This stamp, honouring Timothy Eaton's contribution to the Canadian retailing industry, was created by Louis Fishauf of Reactor Design in Toronto.

Patron généreux et bienveillant, Eaton réduit la semaine de travail de son personnel. Grâce à ce souci du bien-être des employés, la chaîne Eaton et son fondateur gagnent leur loyauté indéfectible, laquelle imprègne depuis le climat de travail. Après la mort de T. Eaton, en 1907, l'entreprise familiale prospérera, forte de l'esprit de probité et de créativité qu'il lui a insufflé, dépassant même les ambitions de son fondateur.

C'est à Louis Fishauf, de la maison torontoise *Reactor Design*, que l'on doit ce timbre consacré à La compagnie T. Eaton, pionnière du commerce de détail au Canada.

Specifications

Denomination:	43¢ (prestige booklet)
Date of Issue:	17 March 1994
Design:	Louis Fishauf
Printer:	Canadian Bank Note Co. Ltd.
Quantity:	7,500,000
Dimensions:	30 mm x 40 mm (vertical)
Printing Process:	Lithography in five colours
Pane Layout:	10 stamps

Données techniques

Valeur :	0,43 $ (livret de prestige)
Date d'émission :	17 mars 1994
Conception :	Louis Fishauf
Impression :	Canadian Bank Note Co. Ltd.
Tirage :	7 500 000 timbres
Format :	30 mm sur 40 mm (vertical)
Procédé d'impression :	lithographie en cinq couleurs
Présentation :	10 timbres

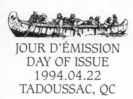

JOUR D'ÉMISSION
DAY OF ISSUE
1994.04.22
TADOUSSAC, QC

Routes of the Fur Traders   **Voies du commerce des fourrures**

The fur trade was a vast Canadian enterprise that expanded the boundaries of the nation in its formative years. Key rivers provided the necessary thoroughfares for the native peoples' and fur traders' canoes.

The Saguenay River in Quebec virtually gave birth to the fur trade, with Canada's first trading post built in 1600 at its mouth at Tadoussac. Issuing from pastoral Lac Saint-Jean and transforming into a majestic fjord before joining the St. Lawrence, the Saguenay remained a vital corridor for fur traders for more than 250 years.

Ontario's French River was a short but important conduit for the fur trade as early as 1615, when Champlain sailed its waters. The river, which rises in Lake Nipissing and finally plunges into Georgian Bay, was used to transport trade goods west and furs east. A swift, one-day run in the spring, the French was plied by the coureurs des bois and, later, by explorers heading west.

Resembling a chain of lakes punctuated by rapids and falls, the Churchill River flows across northern Saskatchewan and Manitoba and empties into Hudson Bay. The Hudson's Bay Company named the river in honour of John Churchill, its governor from 1685 to 1691, and built a post near the mouth that became the centre of the area's fur trade.

Before the U.S. was granted the southern part of the Columbia River in 1846, David Thompson, official geographer of the North West Company, had already mapped the whole wild watercourse, from its headwaters in southern B.C. to its mouth at the Pacific. The Columbia was an indispensable trade route until the advent of the railway.

As highways of the fur trade, Canada's rivers were a vital factor in the development of this continent-sized country.

Voies du commerce des fourrures, les fleuves et rivières du Canada ont été indispensables au développement de ce pays, grand comme un continent.

Mus par le commerce des fourrures – activité qui anime les premières années du jeune pays – marchands et autochtones sillonnent un vaste réseau de cours d'eau, repoussant du même coup les limites du territoire qui deviendra le Canada.

Quasi-berceau du troc des peaux, la rivière Saguenay, au Québec, en demeure une artère vitale pendant plus de deux siècles et demi. C'est en son embouchure, à Tadoussac, qu'est érigé, en 1600, le tout premier poste de traite au pays. Prenant sa source dans les eaux calmes du lac Saint-Jean, la Saguenay se déploie en un fjord majestueux avant de s'unir au fleuve Saint-Laurent.

Lorsque Champlain s'y engage en 1615, la rivière des Français, située en Ontario, représente déjà une voie principale pour la pelleterie. Sur ses eaux, qui naissent au lac Nipissing pour mourir dans la baie Georgienne, se croisent marchandises à destination de l'Ouest et fourrures en direction de l'Est. Cette rivière constitue au printemps un parcours d'une seule journée pour les coureurs des bois et, plus tard, pour les explorateurs en route vers l'Ouest.

Ressemblant à une chaîne de lacs perlée de rapides et de chutes, la rivière Churchill s'écoule dans le nord de la Saskatchewan et du Manitoba avant de s'engloutir dans la baie d'Hudson. La Compagnie de la Baie d'Hudson baptise la rivière en l'honneur de John Churchill qui fut son gouverneur de 1685 à 1691. Elle édifie par la suite un poste près de l'embouchure de la Churchill, futur pivot du commerce des fourrures dans la région.

Avant la cession, en 1846, de son tronçon méridional aux États-Unis, le bouillant Columbia avait déjà vu le plan de son bassin soigneusement tracé d'amont en aval, du sud de la Colombie-Britannique à l'océan Pacifique, par le géographe attitré de la Compagnie du Nord-Ouest, David Thompson. Porte d'entrée vers l'intérieur du continent, le fleuve demeure une voie commerciale indispensable jusqu'à l'arrivée du chemin de fer.

Nommé en l'honneur d'Alexander Mackenzie, qui le descend en deux semaines à peine pour la Compagnie du Nord-Ouest, le plus long cours

d'eau au pays s'étire sur 1730 km, à partir du Grand lac des Esclaves. Menant à la mer de Beaufort plutôt qu'au Pacifique, comme l'explorateur l'avait d'abord cru, le Mackenzie canalisera d'immenses quantités de fourrures de l'Arctique vers un entrepôt sis au lac Athabasca.

The Mackenzie River in the Northwest Territories is Canada's longest river. The explorer it was named after, Alexander Mackenzie of the North West Company, descended its 1,730 kilometres from Great Slave Lake in a mere 14 days. Although the river led to the Beaufort Sea, not to the Pacific as expected, it subsequently served as a giant feeder of furs from the Arctic for a major entrepôt on Lake Athabasca.

For the fourth consecutive year, artist Jan Waddell and designer Malcolm Waddell of Toronto have joined forces to produce a set of five stamps honouring Canada's river heritage.

Pour une quatrième année consécutive, l'artiste Jan Waddell et le concepteur Malcolm Waddell, de Toronto, ont uni leurs talents pour créer ce jeu de cinq vignettes illustrant les cours d'eau dont est tributaire l'histoire canadienne.

Specifications		Données techniques	
Denomination:	5 x 43¢ (se tenant, stamp booklet)	Valeur :	5 x 0,43 $ (se tenant, carnet de timbres)
Date of Issue:	22 April 1994	Date d'émission :	22 avril 1994
Design:	Eskind Waddell	Conception :	Eskind Waddell
Illustration:	Jan Waddell	Illustration :	Jan Waddell
Printer:	Canadian Bank Note Co. Ltd.	Impression :	Canadian Bank Note Co. Ltd.
Quantity:	15,000,000	Tirage :	15 000 000
Dimensions:	48 mm x 30 mm (horizontal)	Format :	48 mm sur 30 mm (horizontal)
Printing Process:	Lithography in five colours	Procédé d'impression :	lithographie en cinq couleurs
Pane Layout:	10 stamps	Présentation :	10 timbres

Frederick Varley's *Vera*

Vera, de Frederick Varley

Well known as a landscape painter and member of the Group of Seven, Frederick Varley (1881-1969) was also one of Canada's foremost portrait artists. But for most of his life, he was dogged by poverty and by opposition to his avant-garde lifestyle and painting techniques. *Vera* stands as a monument to his extraordinary use of paint, as well as to the woman he called "the greatest single influence in my life."

Varley studied art in his native England and in Belgium before immigrating to Toronto in 1912 at the behest of fellow artist Arthur Lismer. "The country is a revelation to me," Varley said after a trip to Algonquin Park introduced him to the Canadian wilderness. For years, he painted it with characteristic passion.

After a brief but nightmarish stint as a Canadian War Records artist during the First World War, Varley immersed himself in the aesthetics of portraiture. A deeply spiritual man interested in Buddhism, he used a system of colour based on spiritual values and psychological effects.

The following year, he met Vera Weatherbie, a student who would become his model, mentor and constant companion for 10 years.

Although only 18 when they met, Vera had considerable influence on Varley's work, offering him suggestions and criticism. He wrote to her years later, "I learnt more about Art in those years [in B.C.] than at any other period – you taught me." She was also the subject of 11 portraits. *Vera* (1931) demonstrates Varley's masterful use of colour, with green suggesting Vera's spirituality. It also forms a kind of double portrait: the right side is softer and more contained, the left side more open and strongly lit.

Membre du Groupe des sept et paysagiste de renom, Frederick Varley (1881-1969) figure parmi les plus grands portraitistes canadiens. Il a pourtant mené une existence misérable et s'est longtemps heurté à l'intolérance des gens, rebutés par ses manières bohèmes et son art avant-gardiste. Dans un langage pictural achevé, son chef-d'œuvre *Vera* immortalise la femme qui aura eu, de l'aveu même de l'artiste, la plus grande influence dans sa vie.

Natif d'Angleterre, où il s'initie à la peinture, Varley séjourne en Belgique avant d'émigrer à Toronto, en 1912, sur les instances d'Arthur Lismer, un collègue artiste. Ses randonnées dans le parc Algonquin lui permettent de découvrir la nature canadienne, dont les paysages deviennent une véritable source d'inspiration. Des années durant, il en captera la beauté sauvage sur toile avec toute la passion qui le caractérise.

Pendant la Première Guerre mondiale, Varley fait un bref mais cauchemardesque séjour au front à titre d'artiste pour le

compte des Archives militaires canadiennes.

De retour au Canada, il s'absorbe dans l'art du portrait. Esprit profondément religieux attiré par le bouddhisme, il traduit au moyen d'un système de couleurs les valeurs spirituelles qu'il veut évoquer ainsi que les sentiments qu'il veut éveiller.

En 1926, en proie à d'importants soucis financiers, Varley accepte la direction du département de dessin et de peinture de la *School of Decorative and Applied Arts*, à Vancouver. D'une pédagogie peu orthodoxe, il réunit d'une manière éclectique estampes japonaises, manuscrits persans et tableaux de Matisse, au grand bonheur de ses élèves. L'année suivante, l'artiste rencontre Vera Weatherbie, une étudiante qui, pendant 10 ans, sera son modèle, son maître à penser et une compagne de tous les instants.

Âgée de 18 ans au début de leur relation, Weatherbie influencera profondément la démarche du peintre par ses

In 1926, in the midst of financial hardship, Varley was hired as head of the painting and drawing department at the Vancouver School of Decorative and Applied Arts. His students were inspired by his unconventional teaching, which focused on an eclectic blend of Japanese prints, Persian manuscripts and Matisse.

Despite the incomprehension of many of his contemporaries, Varley – a member of the Group of Seven – produced an original body of work that earned him a place as one of Canada's foremost portrait painters.

Membre du Groupe des sept, le peintre Frederick Varley a su, malgré l'incompréhension de plusieurs de ses contemporains, créer une œuvre originale qui en a fait l'un des grands portraitistes canadiens.

suggestions et ses critiques, comme en témoigne l'hommage épistolaire qu'il lui rendit par la suite : «J'ai appris plus sur l'Art pendant ces années [passées en Colombie-Britannique] qu'à tout autre moment. – C'est toi qui m'as enseigné.» Onze portraits de Vera Weatherbie portent la signature de l'artiste.

Resigning from the school because of budget cuts, Varley left B.C. for eastern Canada in 1936. It wasn't until the late 1940s that Varley, adrift and nearly destitute, gained real recognition for his artistic genius.

Vera, which hangs in the National Gallery of Canada, has been exquisitely reproduced for the Masterpieces of Canadian Art series by designer Pierre-Yves Pelletier of Montréal. Reproduction permission is given by the F. H. Varley Estate / Mrs. Donald McKay, 1994.

Avec ses dominantes de vert évoquant la spiritualité de son modèle, la toile *Vera*, achevée en 1931, confirme l'immense talent de coloriste de Varley. Le tableau exprime la dualité du sujet : au côté droit empreint de douceur et de réserve s'opposent l'ouverture et l'intensité lumineuse de la gauche.

L'école, faute de fonds, réduit la charge de Varley; celui-ci démissionne et part s'installer dans l'est du pays, en 1936. La consécration du génie créateur du peintre, alors à la dérive et presque fauché, ne surviendra qu'à la fin des années 1940.

Pour la série consacrée aux chefs-d'œuvre canadiens, le concepteur montréalais Pierre-Yves Pelletier a reproduit de main de maître le tableau *Vera*, conservé au Musée des beaux-arts du Canada. La reproduction de l'œuvre a été autorisée par la succession de F.H. Varley (Mme Donald McKay) en 1994.

ART CANADA

Vera, 1931 (détail / détail) F.H. Varley

88

Specifications		Données techniques	
Denomination:	88¢	*Valeur :*	0,88 $
Date of Issue:	6 May 1994	*Date d'émission :*	6 mai 1994
Design:	Pierre-Yves Pelletier	*Conception :*	Pierre-Yves Pelletier
Printer:	Leigh-Mardon Pty Ltd.	*Impression :*	Leigh-Mardon Pty Ltd.
Quantity:	8,700,000	*Tirage :*	8 700 000
Dimensions:	40 mm x 48 mm (vertical)	*Format :*	40 mm sur 48 mm (vertical)
Printing Process:	Lithography in six colours with foil stamping in one colour	*Procédés d'impression :*	lithographie en six couleurs et estampage à chaud en une couleur
Pane Layout:	16 stamps	*Présentation :*	16 timbres

The "Friendly Games"

Les Jeux de l'amitié

This year, Victoria played host to the Commonwealth Games – the world's second-largest international multi-sport event. Held every four years, the Games were first staged in 1930 in Hamilton, Ontario, thanks in part to Bobbie Robinson, a Canadian who proposed the idea at the 1928 Olympics. Robinson recommended that the tone of the British Empire Games be different from that of the Olympics: "They should be merrier and less stern, and will substitute the stimulus of novel adventure for the pressure of international rivalry."

In no way, however, has the calibre of athletic competition been compromised. The so-called "Friendly Games" have showcased record-breaking performances over the years, with 10 world records broken in 1958 alone. One of the most dramatic moments in sports history occurred in Vancouver in 1954 when England's Roger Bannister defeated Australia's John Landy in the "Miracle Mile." Canadian athletes, always performing well at the Games, garnered an unprecedented 109 medals in Edmonton in 1978 – including 45 gold.

The XV Commonwealth Games – the fourth to take place in Canada – were distinguished by a traditional Coast Salish welcome by the three First Nations on Vancouver Island. The Queen's Baton, symbol of the Games since 1958, was uniquely designed this year by three First Nation artists.

The Games featured 10 sports – aquatics, athletics, badminton, lawn bowls, boxing, cycling, gymnastics, shooting, weight-lifting and wrestling – with lacrosse the demonstration sport. For the first time, athletes with a disability were official members of the national teams, participating in six sports events, as well as the opening and closing ceremonies.

Cette année, Victoria a été le théâtre des Jeux du Commonwealth, réunion sportive internationale qui ne le cède en importance qu'aux Jeux olympiques.

La paternité de cet événement quadriennal revient en partie au Canadien Bobbie Robinson. L'idée, avancée aux Jeux olympiques de 1928, se concrétise deux ans plus tard à Hamilton, en Ontario. Dans un esprit de camaraderie, les Jeux de l'Empire britannique convient l'élite sportive à une aventure nouvelle, dégagée de l'âpre lutte entre nations.

Malgré l'ambiance plus détendue, les Jeux sont ponctués d'exploits sportifs mémorables, reléguant même aux oubliettes 10 records mondiaux en 1958 seulement. Ainsi, la victoire qu'arrache l'Anglais Roger Bannister à l'Australien John Landy dans le «mille du siècle», lors des Jeux de 1954, à Vancouver, s'inscrit en lettres de feu dans les annales du sport. Excellents ambassadeurs depuis le début des Jeux, les athlètes canadiens se sont surpassés à Edmonton, en 1978, y moissonnant 109 médailles, dont 45 d'or.

Un rituel de bienvenue de la nation salish de la Côte, organisé par les trois premières nations de l'île de Vancouver, a donné le coup d'envoi aux XVes Jeux du Commonwealth, la quatrième édition en sol canadien. Cette année, le bâton de la Reine, symbole des Jeux depuis 1958, portait la signature de trois artistes amérindiens.

Dix disciplines figuraient au programme officiel : sports nautiques, athlétisme, badminton, boulingrin, boxe, cyclisme, gymnastique, tir, haltérophilie et lutte, la crosse y étant en démonstration. Pour la première fois, des athlètes ayant une limitation fonctionnelle faisaient partie des équipes nationales; ils ont pris part à six épreuves ainsi qu'aux cérémonies d'ouverture et de clôture.

For the fourth time, Canada played host to the Commonwealth Games – an occasion for record-breaking sports achievements, but above all a celebration of friendship between peoples.

Pour la quatrième fois, le Canada accueille les Jeux du Commonwealth. S'ils donnent lieu à des exploits exceptionnels, les Jeux célèbrent avant tout l'amitié entre les peuples.

Victoria 94
XV Commonwealth Games

Lacrosse, the oldest organized sport in North America, was played by the First Nations long before the Europeans arrived. It was named in 1638 by French missionary Jean de Brébeuf, who likened the players' sticks to a bishop's crosier or *crosse*. By the end of the 1800s, with teams from coast to coast, the sport was drawing up to 10,000 spectators per game. Although lacrosse is no longer as in vogue today, it boasts more than 180,000 players in Canada.

Lawn bowls, an outdoor game somewhat resembling curling, probably originated in ancient Egypt. After spreading to China, Greece and Rome, it was introduced in Great Britain. British officers imported the sport to Canada, building the country's first green in Nova Scotia in 1734. Today, Canada has some 270 clubs and is one of more than 30 countries that compete in the sport. This year, the Commonwealth Games added two new lawn bowl events – for men and women who are visually impaired.

Bien avant l'arrivée des Européens, les premières nations s'adonnaient à la crosse, doyen des sports organisés en Amérique du Nord. C'est le missionnaire Jean de Brébeuf qui a nommé le jeu en 1638, le bâton des joueurs lui rappelant la crosse épiscopale. À la fin des années 1800, les joutes, mettant aux prises des équipes de toutes les régions, attirent jusqu'à 10 000 adeptes. Si l'enthousiasme pour ce sport vacille aujourd'hui, le flambeau a tout de même été transmis à 180 000 fervents au Canada.

L'origine du boulingrin, jeu d'extérieur semblable au curling, remonte à l'époque des pharaons. Après s'être répandu en Chine, en Grèce, puis dans la Rome antique, il arrive en Grande-Bretagne. Le jeu traversera bientôt l'Atlantique, importé par les officiers britanniques qui, dès 1734, aménageront la première pelouse, en Nouvelle-Écosse. Aujourd'hui, le Canada compte 270 clubs de boulingrin et rivalise d'adresse avec une trentaine de pays. Le programme des Jeux de 1994 s'est enrichi de deux épreuves de boulingrin, pour hommes et femmes ayant une limitation visuelle.

Specifications		*Données techniques*	
Denomination:	2 x 43¢ (se tenant)	*Valeur :*	2 x 0,43 $ (se tenant)
Date of Issue:	20 May 1994	*Date d'émission :*	20 mai 1994
Design:	Roderick Roodenburg, David Coates	*Conception :*	Roderick Roodenburg, David Coates
Printer:	Leigh-Mardon Pty Ltd.	*Impression :*	Leigh-Mardon Pty Ltd.
Quantity:	15,000,000	*Tirage :*	15 000 000
Dimensions:	40 mm x 30 mm (horizontal)	*Format :*	40 mm sur 30 mm (horizontal)
Printing Process:	Lithography in five colours with foil stamping in one colour	*Procédés d'impression :*	lithographie en cinq couleurs et estampage à chaud en une couleur
Pane Layout:	25 stamps	*Présentation :*	25 timbres

Athletes with a disability competed in four other events in Victoria: men's and women's freestyle swimming, men's open 800-metre wheelchair and men's open wheelchair marathon – a 42.6-kilometre race. Wheelchair sport in Canada dates back to 1947, when wheelchair basketball made its debut. Subsequently, the Canadian Wheelchair Sports Association was formed to promote many wheelchair sports, including tennis, swimming, archery, athletics, racquetball, shooting and rugby.

A mainstay of the Games, athletics consists of 44 track-and-field events. Although many originated in ancient Greece, Canadian events owe much to the games of the First Nations, the Caledonian Games of the early Scots and the colonial athletics of British officers. In Commonwealth Game competition, Canada earned 217 medals in athletics between 1930 and 1990, including two gold medals for the women's high-jump event.

Another multi-faceted sport, aquatics now includes 41 events in diving, speed swimming and synchronized swimming. Although diving was practised as early as 400 B.C. by Egyptians and Romans, it did not become a competitive sport until the 1880s, in Germany. Canada has always excelled in aquatic events at the Games and has traditionally battled with Australia for first place in diving.

À Victoria, les athlètes ayant une limitation physique ont également donné leur pleine mesure aux épreuves féminines et masculines de nage libre ainsi qu'aux épreuves masculines du 800 mètres et du marathon ouvert en fauteuil roulant sur 42,6 kilomètres. En 1947, les athlètes en fauteuil roulant amorcent, avec le basket-ball, leur participation à des rencontres sportives. L'Association canadienne des sports en fauteuil roulant, créée en 1976, facilitera leur conquête d'autres domaines sportifs : tennis, natation, tir à l'arc, athlétisme, racquetball, tir à la carabine et rugby notamment.

Discipline favorite des foules, l'athlétisme réunit 44 épreuves de course, de lancer et de saut. Prenant sa source dans l'Antiquité grecque, la tradition canadienne puise aussi largement dans l'histoire des jeux amérindiens et des jeux calédoniens. Elle emprunte également aux concours athlétiques de la vieille Angleterre. De 1930 à 1990, le Canada a remporté 217 médailles en athlétisme aux Jeux du Commonwealth, dont deux d'or, adjugées aux épreuves féminines de saut en hauteur.

Les sports nautiques regroupent 41 épreuves de plongeon, natation et nage synchronisée. Le plongeon de compétition n'émergera en Allemagne que vers 1880, même si Égyptiens et Romains fendaient déjà les flots 400 ans avant Jésus-Christ. Le Canada s'impose avec brio aux épreuves en piscine, disputant la suprématie au plongeon au camp australien.

The Victoria Games marked an important first in the history of the Commonwealth Games: athletes with a disability were included in the national teams.

Les Jeux de Victoria marquent une grande première dans l'histoire des Jeux du Commonwealth : les athlètes ayant une limitation fonctionnelle font partie des équipes nationales.

Cycling took hold in Canada in 1876 with the formation of the Montreal Bicycle Club – the first of its kind in the country. The sport's popularity was enhanced by the founding in 1882 of a national cycling organization, the Canadian Wheelman's Association, as well as by basic improvements to the bicycle, such as air-filled tires. Cycling has been featured at the Commonwealth Games since the beginning, with women's events added in 1990. The XV Games featured 13 medal events, including road and track races.

These six vibrant stamps were designed by Roderick Roodenburg and David Coates of Ion Design in Vancouver. Each incorporates a flower typically found in the parks and gardens of Vancouver Island, as well as the Queen's Baton, designed by artists Charles Elliott of the Saanich people of the Coast Salish Nation, Art Thompson of the Ditidaht people of the Nuu-Chah-Nulth Nation, and Richard Hunt of the Fort Rupert people of the Kwagiulth Nation.

La création, en 1876, du Club cycliste de Montréal, premier du genre au pays, marque les débuts du cyclisme canadien. Sous l'impulsion de l'Association canadienne des cyclistes, fondée en 1882, et grâce à certaines percées techniques, tel le pneu gonflable, la pratique du sport gagne l'ensemble du pays. Vieux routier des Jeux du Commonwealth, le cyclisme s'ouvre aux athlètes féminines en 1990. Les Jeux de Victoria ont couronné les champions dans 13 épreuves sur piste et sur route.

Roderick Roodenburg et David Coates, de la maison *Ion Design* à Vancouver, ont choisi d'enluminer les six timbres consacrés aux XVes Jeux du Commonwealth. Chaque vignette juxtapose aux motifs du bâton de la Reine une espèce florale typique des jardins et parcs de l'île de Vancouver. Le bâton est une œuvre conjointe des artistes Charles Elliott, Art Thompson et Richard Hunt, représentants respectifs du peuple saanich de la nation salish de la Côte, du peuple ditidaht de la nation nuu-chah-nulth et du peuple de Fort Rupert de la nation kwagiulth.

Specifications		Données techniques	
Denomination:	2 x 43¢ (se tenant), 50¢, 88¢	Valeur :	2 x 0,43 $ (se tenant); 0,50 $; 0,88 $
Date of Issue:	5 August 1994	Date d'émission :	5 août 1994
Design:	Roderick Roodenburg, David Coates	Conception :	Roderick Roodenburg, David Coates
Printer:	Leigh-Mardon Pty Ltd.	Impression :	Leigh-Mardon Pty Ltd.
Quantity:	2 x 43¢ – 15,000,000	Tirage :	2 x 0,43 $ – 15 000 000
	50¢ – 15,000,000		0,50 $ – 15 000 000
	88¢ – 15,000,000		0,88 $ – 15 000 000
Dimensions:	40 mm x 30 mm (horizontal)	Format :	40 mm sur 30 mm (horizontal)
Printing Process:	Lithography in five colours with foil stamping in one colour	Procédés d'impression :	lithographie en cinq couleurs et estampage à chaud en une couleur
Pane Layout:	25 stamps	Présentation :	25 timbres

Strengthening the Heart of Society

Défense et illustration de la famille

Often taken for granted, the family was accorded unprecedented attention this year. The United Nations declared 1994 International Year of the Family, recognizing the family as the most basic unit of society. As such, it warrants special protection and assistance in fulfilling its many important responsibilities.

Whatever its form, the family serves a multitude of functions. It provides the emotional, financial and material support necessary for the growth and development of its members, especially children and other dependants. It is also a vital means of preserving and passing on cultural values.

In recent years, major changes in society have altered the nature of the family in Canada, as elsewhere. There is no longer an "ideal family" or even a single definition of what constitutes a family. Lifestyles have diversified and, at the same time, economic burdens have increased, some families have fragmented, and outside agencies have often had to help meet the basic needs of individual family members.

The aim of the International Year of the Family was to address the needs of all kinds of families and to better understand current family roles and problems, as well as the underlying economic and social conditions. The year's activities were also intended to promote equality between men and women and the basic human rights of all family members.

In Canada, both local and nationwide activities related to family were offered. "Work and Family" was one national project that tackled the problem of balancing employment and family responsibilities. The program promoted "family-friendly" workplaces across the country and sensitized employers to the issues involved so that both employers and employees – and their families – would benefit.

Trop souvent tenue dans l'ombre, la famille s'est retrouvée, cette année comme jamais auparavant, sous les projecteurs. En effet, afin de rappeler l'importance de cette institution, arche maîtresse de toute société, l'Assemblée générale des Nations Unies a proclamé 1994 Année internationale de la famille (AIF). Et lorsqu'on songe aux lourdes responsabilités qui lui incombent, la famille mérite bien qu'on lui fournisse aide et protection.

Sous ses diverses formes, la famille remplit de multiples fonctions. Elle est la source d'un appui affectif, financier et matériel indispensable à la croissance et à l'épanouissement de ses membres. C'est également dans le creuset familial que sont entretenues et transmises les valeurs culturelles.

Au Canada comme ailleurs, les bouleversements sociaux des récentes décennies ont entraîné une profonde mutation du cadre familial. La notion de «famille idéale» est à tout jamais disparue : nulle définition de cette cellule ne peut prétendre à l'universalité. La diversification des modes de vie, l'alourdissement du fardeau financier et l'éclatement des

foyers sont autant de facteurs qui ont contraint certaines personnes à faire appel à divers organismes de soutien pour satisfaire leurs besoins fondamentaux.

Propice à l'examen des besoins de la famille sous toutes ses formes, l'AIF a permis de mieux saisir les rôles de la cellule familiale et les défis que celle-ci doit relever. La promotion de l'égalité entre hommes et femmes et le respect des droits de la personne en milieu familial figuraient également à l'ordre du jour.

Au Canada, l'AIF a été jalonnée d'une foule d'activités d'envergure nationale et locale. Ainsi, le programme Défi «Travail et Famille» portait sur la recherche d'un équilibre entre tâches familiales et responsabilités professionnelles. Ce projet visait à sensibiliser le patronat aux réalités de la cellule familiale afin de favoriser la création de milieux de travail sensibles à ses besoins, pour qu'employeurs et employés – et par ricochet leurs familles – puissent en bénéficier.

Cette année, partout au pays, la famille a été au cœur de maints débats et festivités. Et, selon le vœu de l'ONU, «la plus petite dé-

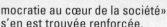

mocratie au cœur de la société» s'en est trouvée renforcée.

The International Year of the Family focused attention on current family roles and on the challenges every modern family must face.

L'Année internationale de la famille a permis de mieux saisir les rôles de la cellule familiale et les défis que la famille moderne doit relever.

Throughout the year, Canadians everywhere – whether debating or celebrating – helped strengthen what the United Nations hails as "the smallest democracy at the heart of society."

Suzanne Duranceau of Montréal has created a panorama of family-related scenes for this souvenir sheet, so that each of the five stamps is a detail of a larger image. The sheet depicts some of the pleasures and problems that families may experience.

Un émouvant portrait de familles, œuvre de la Montréalaise Suzanne Duranceau, forme le motif du feuillet-souvenir sur lequel se découpent cinq timbres. La fresque évoque les joies et les peines qui tissent le quotidien familial.

Specifications		Données techniques	
Denomination:	5 x 43¢ (souvenir sheet)	Valeur :	5 x 0,43 $ (feuillet-souvenir)
Date of Issue:	2 June 1994	Date d'émission :	2 juin 1994
Illustration:	Suzanne Duranceau	Illustration :	Suzanne Duranceau
Printer:	Leigh-Mardon Pty Ltd.	Impression :	Leigh-Mardon Pty Ltd.
Quantity:	1,500,000 sheets	Tirage :	1 500 000 feuillets
Dimensions:	Stamp – 30 mm x 48 mm (vertical)	Format :	timbres – 30 mm sur 48 mm (vertical)
	Sheet – 177 mm x 133 mm (horizontal)		feuillet – 177 mm sur 133 mm (horizontal)
Printing Process:	Lithography in five colours	Procédé d'impression :	lithographie en cinq couleurs
Pane Layout:	5 stamps	Présentation :	5 timbres

DAY OF ISSUE · JOUR D'ÉMISSION · MAPLE, ONTARIO · 94-06-30

No tree is more familiar to Canadians than the maple, especially since its leaf is the symbol of the national identity. But the maple is also one of the most beautiful and useful trees that grow on Canadian soil.

Most of the world's 160 or so maple species grow in eastern Asia; only 10 are native to Canada. Most of these are sizeable trees, especially the sugar and silver maples, which may grow as high as 40 metres and as wide as 1.5 metres. Four species, however, are merely tall shrubs – the mountain and striped maples in eastern Canada and the vine and Douglas in the west. Canada has also imported many species, including the Norway and hedge maples, for planting as ornamental and roadside trees.

The foliage of most maples is renowned for spectacular fall colours. The sugar maple in particular displays brilliant shades of gold, orange and scarlet, drawing countless visitors to the forests of eastern Canada.

Maple leaves vary in size and shape, depending on the species, but all grow in opposing pairs and have from three to nine lobes. (The exception is the Manitoba maple, whose leaves are divided into several leaflets.) The fruit – pairs of winged seeds known as "keys" – is as typical of maples as acorns are of oaks. The flowers, though, are very diverse. Some are wind-pollinated, while others produce nectar and are pollinated by insects. Some appear in the spring *before* the leaves and, in the case of the red maple, bathe the tree in a startling red haze.

The quality of the wood of each species differs considerably. The sugar and black maples, or "hard maples," are the most prized for their lumber, which has been put to countless uses – from flooring and furniture to farm tools and fuel. Naturally patterned wood, such as the famous bird's eye, is especially prized by cabinetmakers.

But the most outstanding product yielded by maples is the syrup. This ambrosial food, derived mainly from the sap of sugar maples, was enjoyed centuries ago by the native peoples of eastern Canada.

L'érable est un élément familier du paysage canadien, et sa feuille symbolise notre identité nationale. Pourtant, on oublie parfois à quel point les spécimens de cette essence peuvent charmer nos yeux et servir nos besoins.

La flore mondiale compte quelque 160 espèces d'érables, dont 10 seulement poussent naturellement au Canada, l'Asie orientale restant le principal foyer de l'essence. Souvent, nos érables s'imposent par leur stature, surtout l'érable à sucre et l'érable argenté qui, en milieu propice, atteignent 40 mètres de hauteur et 1,5 mètre de diamètre. Par contre, quatre espèces présentent une taille réduite : l'érable à épis et l'érable de Pennsylvanie, communs dans l'est du pays, ainsi que l'érable circiné et l'érable nain, qui prospèrent dans l'Ouest. Certaines essences exotiques se sont acclimatées au pays – telles que l'érable de Norvège et l'érable champêtre – et ombragent de leur silhouette pelouses et routes.

À l'automne, les érables se drapent d'une grandiose livrée de saison. Sublimes d'élégance, les érables à sucre des forêts

de l'Est, recouverts de touches d'or, d'orangé et de pourpre, offrent un éblouissant spectacle aux innombrables admirateurs qui viennent les saluer.

Les feuilles d'érable affectent formes et tailles les plus diverses; toutes sont cependant disposées par paires et possèdent de trois à neuf lobes. (Avec ses feuilles composées, à plusieurs folioles, l'érable négundo fait exception.) Tout comme le chêne porte le gland, l'érable donne un fruit caracté-ristique, la disamare, une paire de graines ailées. Toutefois, les inflorescences des diverses espèces forment un bouquet plus garni. Certaines sèment leur pollen aux quatre vents, d'autres attirent par leur nectar les insectes butineurs. Au prin-temps, l'apparition des inflores-cences précède la feuillaison chez certaines espèces, tel l'érable rouge qui s'habille alors d'une brillance rouge vif.

La qualité du bois varie consi-dérablement selon les essences. D'une grande valeur commer-ciale, le bois dur de l'érable à sucre et de l'érable noir convient à la confection de planchers, de meubles, d'outils agricoles et comme combustible. De plus,

The maple, symbol of Canada's national identity, reflects the country's inhabitants: some-times flamboyant, sometimes discreet, it alters with the rhythm of the seasons.

Symbole de l'identité nationale du Canada, l'érable est à l'image des habitants de ce pays : tantôt flamboyant, tantôt discret, il s'harmonise avec les saisons.

le bois moucheté de l'érable en fait un favori des ébénistes. C'est peut-être par son sirop que l'érable nous enchante le plus. Cette petite douceur céleste, dérivée principalement de la sève d'érables à sucre, faisait jadis les délices des Amérindiens de l'Est, premiers maîtres-sucriers du pays.

Maple syrup and sugar later became the basis of a unique agricultural industry and have earned a worldwide reputation.

These 12 colourful commemoratives, with art by Dennis Noble of Toronto and typography by Bernard Low of Ottawa, were issued in celebration of Canada Day.

Aujourd'hui, l'acériculture est une branche florissante de l'agriculture au Canada, et l'on se régale des produits de nos érables partout dans le monde.

À l'occasion de la fête du Canada, le graphiste Dennis Noble, de Toronto, et le typographe Bernard Low, d'Ottawa, ont mis en couleurs ce splendide feuillet de 12 timbres commémoratifs.

CANADA DAY   1994   FÊTE DU CANADA

P ● ● ● ● ●   CANADIAN BANK NOTE   ART/CONCEPTION : DENNIS NOBLE   TYPOGRAPHY/TYPOGRAPHIE : BERNARD LOW

Specifications

Denomination:	12 x 43¢ (se tenant, sheet)
Date of Issue:	30 June 1994
Illustration:	Dennis Noble
Typography:	Bernard Low
Printer:	Canadian Bank Note Co. Ltd.
Quantity:	1,250,000 sheets
Dimensions:	Stamp – 40 mm x 34 mm (horizontal)
	Sheet – 172 mm x 166 mm (horizontal)
Printing Process:	Lithography in six colours
Pane Layout:	12 stamps

Données techniques

Valeur :	12 x 0,43 $ (se tenant, feuillet)
Date d'émission :	30 juin 1994
Illustration :	Dennis Noble
Typographie :	Bernard Low
Impression :	Canadian Bank Note Co. Ltd.
Tirage :	1 250 000 feuillets
Format :	timbres – 40 mm sur 34 mm (horizontal)
	feuillet – 172 mm sur 166 mm (horizontal)
Procédé d'impression :	lithographie en six couleurs
Présentation :	12 timbres

"La Bolduc" and Billy Bishop: Legends in their Own Time

«La Bolduc» et Billy Bishop : des légendes de leur vivant!

Popular singer "La Bolduc" and flying ace Billy Bishop may seem to have little in common. But not only were both born 100 years ago this year, they earned legendary reputations for their respective talents.

Mary Travers Bolduc, or "La Bolduc" as her fans called her, was an exuberant singer, song-writer and fiddler who became the "voice of Quebec" before the Second World War. Born Mary Travers into a poor family in the Gaspé, she was encouraged to sing and play the fiddle by her Irish father and French-Canadian mother and was considered a child prodigy in her village. She left home at 13 to work in Montréal and, at 20, married Édouard Bolduc, who shared her love of music. As they raised a family, frequent sing-alongs with friends helped them endure many hardships.

Mme Bolduc's professional career didn't begin until her husband became seriously ill and economic necessity forced her to play violin in a folk troupe. But the real turning point came in 1928: after appearing on radio, she was offered a recording

Billy Bishop's success, by contrast, was in air combat during the First World War. A crack shot with a rifle as a boy in Owen Sound, Ontario, Bishop entered Kingston's Royal Military College in 1911, where he proved to be mostly a troublemaker. When the war broke out, he joined the cavalry and went overseas. Disenchanted with military manoeuvres in the mud, Bishop was quick to accept a position as an observer in the Royal Flying Corps; the following year, he fulfilled his greatest dream by joining the pilot training program.

Par quel curieux destin les vies de «La Bolduc», chanteuse populaire, et de Billy Bishop, as de l'aviation, se croisent-elles ici? Si le hasard les a fait naître la même année, il y a un siècle déjà, ils ne doivent, en revanche, qu'à leurs talents exceptionnels la légendaire renommée acquise depuis.

Mary Travers Bolduc fut, pendant les années qui ont précédé la Seconde Guerre mondiale, la «voix du Québec». Surnommée affectueusement «La Bolduc» par son public, cette auteure-compositeure-interprète au style exubérant s'accompagnait au violon.

Mary Travers grandit dans un milieu familial modeste, à Newport, en Gaspésie. Perçue dans son village comme une véritable enfant prodige, elle chante et joue du violon, sous le regard bienveillant de son père, d'origine irlandaise, et de sa mère, canadienne-française. Âgée d'à peine 13 ans, elle quitte le nid familial pour aller travailler à Montréal et, à 20 ans, elle épouse Édouard Bolduc, qui partage son amour de la musique. Mary et Édouard

triment dur pour élever leurs enfants, égayant les jours sombres de veillées en chansons avec leurs amis.

La carrière de Mary Travers débute par nécessité lorsque son mari tombe gravement malade. Devenue soutien de famille, elle accompagne au violon un groupe de musique folklorique. L'année 1928 marque un tournant décisif : son passage à la radio lui vaut un contrat d'enregistrement. Se risquant à la composition, elle remporte vite un succès phénoménal. Au moyen de ses chansons légères et pleines d'humour, chroniques de la vie quotidienne, «La Bolduc» conquiert le cœur des Québécois et devient la diva des gens ordinaires.

C'est au cours de la Première Guerre mondiale que le pilote de chasse Billy Bishop accomplit ses exploits. Excellent fusil dès sa prime jeunesse, passée à Owen Sound, en Ontario, Bishop entre au collège militaire royal de Kingston en 1911, où il se taille une réputation de fauteur de troubles. Lorsqu'éclate la guerre, il s'enrôle dans la

contract. She began writing her own material — and was catapulted into success. With her light-hearted, humorous songs about everyday life, "La Bolduc" became the best-loved entertainer in Quebec and an idol of the working classes.

Popular singer "La Bolduc" and flying ace Billy Bishop may seem to have little in common. But both were born a hundred years ago, and both became legends in their own time.

Destins fort diffé-rents que ceux de «La Bolduc», chan-teuse populaire, et de Billy Bishop, as de l'aviation. Mais deux points les rapprochent : nés il y a 100 ans, ils ont été des légendes de leur vivant.

cavalerie et part pour l'Europe. Rebuté par les dures manœuvres dans les champs de boue, Bishop se hâte d'accepter un poste d'observateur au sein du Corps royal d'aviation. L'année suivante, le programme de formation des pilotes le recrute : son grand rêve se concrétise enfin!

24

When called to fight in France, Bishop quickly made his mark. His exceptional skill as a pilot resulted in victory after victory; within a few months, he received the Victoria Cross for a single-handed attack on a German airfield. By the end of the war, the dashing 24-year-old was credited with 72 victories and had earned almost every decoration for valour conferred by the British and French governments.

Canada Post celebrated these two remarkable Canadians this year with stamps designed by Bernard Leduc and Pierre Fontaine of Montréal.

Appelé à combattre en France, Billy Bishop ne tarde pas à faire sa marque. Le pilote d'élite accumule vite les victoires et obtient bientôt la Croix de Victoria pour une attaque menée en solitaire contre un aérodrome allemand. À la fin des hostilités, le jeune héros de 24 ans compte 72 victoires et la quasi-totalité des médailles pour actes de bravoure conférées par la France et la Grande-Bretagne.

Au moyen de ces deux timbres, signés Bernard Leduc et Pierre Fontaine, de Montréal, la Société canadienne des postes a voulu évoquer la remarquable destinée de Mary Travers et de Billy Bishop.

Specifications

Denomination: 2 x 43¢ (se tenant)
Date of Issue: 12 August 1994
Design: Pierre Fontaine
Illustration: Bernard Leduc
Printer: Canadian Bank Note Co. Ltd.
Quantity: 15,000,000
Dimensions: 36 mm x 30 mm (horizontal)
Printing Process: Lithography in six colours
Pane Layout: 50 stamps

Données techniques

Valeur : 2 x 0,43 $ (se tenant)
Date d'émission : 12 août 1994
Conception : Pierre Fontaine
Illustration : Bernard Leduc
Impression : Canadian Bank Note Co. Ltd.
Tirage : 15 000 000
Format : 36 mm sur 30 mm (horizontal)
Procédé d'impression : lithographie en six couleurs
Présentation : 50 timbres

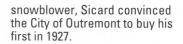

Electric streetcars, which made their Canadian debut in 1886, provided much more efficient urban public transportation than their horse-drawn predecessors. Windsor, Ontario, was the first city to adopt this new technology, but several others quickly followed suit. Most early streetcars boasted luxurious mahogany interiors and polished brass trimmings.

In the 1920s, motor vehicles proved to be a boon to police forces across Canada, especially in fast-growing cities where policing on horse or foot was no longer effective. The Reo Speed Wagon, a typical custom-built patrol truck or "paddy wagon" of the time, offered policemen dependable transportation, at speeds of up to 50 kilometres per hour.

It wasn't until the 1920s that completely mechanized snow-removal equipment replaced the costly and labour-intensive practice of shovelling city streets by hand. Pioneering this technological advance was Montrealer Arthur Sicard.

After devoting many years to designing and building a commercially viable snowblower, Sicard convinced the City of Outremont to buy his first in 1927.

Even during the Depression, a fire engine was considered a worthwhile investment by small towns. A "triple-combination" with pump, ladder and hoses, the Bickle Chieftain is typical of trucks owned by smaller fire departments and is one of the few surviving fire engines wholly designed and built in Canada.

Motor Coach Industries, Canada's leading inter-city bus manufacturer, produced its first successful line of rear-engine motor coaches between 1946 and 1960, including the Courier 50, with its distinctive rounded windows. The first six Courier 50s, which had skyview roofs, gave new meaning to "sightseeing" and were quickly bought up by Canadian tour-bus operators.

Au Canada, efficacité oblige, c'est en 1886 que le premier tramway électrique supplante la voiture hippomobile comme véhicule de transport public. Première à s'y convertir, la ville de Windsor, en Ontario, ne fait pas longtemps cavalier seul. D'une finition recherchée, les premiers engins s'ornent, pour la plupart, d'un intérieur d'acajou et de laiton étincelant.

Face à l'essor urbain des années 1920, la motorisation offre de nouveaux moyens de transport fiables aux forces policières du pays, qui délaissent alors la patrouille à pied ou à cheval. À bord du *Speed Wagon* de Reo, transformé en «panier à salade» au moyen de caisses fabriquées sur mesure, les agents peuvent filer à vive allure, atteignant jusqu'à 50 kilomètres à l'heure.

C'est aussi pendant les années folles que se mécanise le déneigement des voies urbaines, opération coûteuse longtemps effectuée à grand renfort de pelles. À l'origine de cette percée technologique se trouve l'inventeur montréalais Arthur Sicard. Après des années de recherche, il conçoit un modèle commercial de souffleuse à neige et, en 1927,

la ville d'Outremont en acquiert le premier exemplaire.

Même en pleine crise économique, de nombreuses petites municipalités, soucieuses de la rapidité et de la fiabilité de leur équipement de lutte contre les incendies, ne lésinent pas et optent pour la nouvelle *Chieftain* de Bickle. La rutilante voiture, qui combine pompe à eau, échelles et tuyaux, est l'un des rares engins à incendie de conception et de fabrication entièrement canadiennes dont il reste un exemplaire.

Entre 1946 et 1960, la firme *Motor Coach Industries*, principal fabricant canadien d'autocars, assemble sa première gamme à succès d'autobus d'excursion avec moteur arrière. Issu de cette lignée, le *Courier 50* se reconnaît aisément à ses glaces arrondies. Les six premiers exemplaires de ce modèle à la toiture percée de baies panoramiques lancent la tradition des cars luxueux et sont vite acquis par des entreprises canadiennes de transport touristique.

Au cours de la Seconde Guerre mondiale, le Canada produit un parc de plus de 850 000 engins

The development of motor vehicles that are both safe and fast has always been of vital importance in a huge country such as ours.

La création de véhicules de transport utilitaires sûrs et rapides fut, pour un vaste pays comme le nôtre, d'une importance capitale.

militaires. Figurent dans cette impressionnante armada les véhicules du *Canadian Military Pattern* (CMP), dont certains modèles sont montés sur châssis trois tonnes, munis de quatre roues motrices et dotés d'une carrosserie spécialisée, choisie parmi une douzaine de caisses possibles.

Canada produced an astonishing 850,000 military vehicles during the Second World War. Many were Canadian Military Pattern (CMP) vehicles, including the 4x4 three-tonne chassis used with more than a dozen specialized bodies. One of these was the CMP ambulance – a vehicle that helped save countless lives in Europe and North Africa.

This is the second in a series of stamps devoted to Canada's motor vehicles, designed by Tiit Telmet, Joseph Gault and Cameron Wykes of Toronto.

Grâce à l'ambulance de type CMP, d'innombrables vies ont pu être sauvées sur les champs de bataille d'Europe et d'Afrique du Nord.

Les concepteurs Tiit Telmet, Joseph Gault et Cameron Wykes, tous de Toronto, ont signé ce deuxième jeu de la série consacrée aux véhicules historiques du Canada.

Specifications		Données techniques	
Denomination:	2 x 43¢, 2 x 50¢, 2 x 88¢ (se tenant, souvenir sheet)	Valeur :	2 x 0,43 $; 2 x 0,50 $; 2 x 0,88 $ (se tenant, bloc-feuillet)
Date of Issue:	19 August 1994	Date d'émission :	19 août 1994
Design:	Tiit Telmet, Joseph Gault, Cameron Wykes	Conception :	Tiit Telmet, Joseph Gault, Cameron Wykes
Printer:	Canadian Bank Note Co. Ltd.	Impression :	Canadian Bank Note Co. Ltd.
Quantity:	800,000 sheets	Tirage :	800 000 feuillets
Dimensions:	Stamps – (2) 40 mm x 27.5 mm (horizontal) (2) 48 mm x 27.5 mm (horizontal) (2) 56 mm x 27.5 mm (horizontal) Sheet – 176 mm x 123.75 (horizontal)	Format :	timbres – (2) 40 mm sur 27,5 mm (horizontal) (2) 48 mm sur 27,5 mm (horizontal) (2) 56 mm sur 27,5 mm (horizontal) feuillet – 176 mm sur 123,75 (horizontal)
Printing Process:	Lithography in seven colours	Procédé d'impression :	lithographie en sept couleurs
Pane Layout:	6 stamps	Présentation :	6 timbres

Hands Across the Sky

Entre ciel et terre

Dramatic technological advancements in aviation during the Second World War confirmed what few could have imagined just decades earlier: the future supremacy of civil air transportation.

Those who envisioned the importance of post-war air travel realized the need for global cooperation to govern its growth. The International Civil Aviation Organization (ICAO), headquartered in Montréal, was born out of the *Convention on International Civil Aviation*, signed by 52 nations on 7 December 1944 in Chicago, Illinois. Thanks largely to the foresight of Prime Minister Mackenzie King and Minister of Munitions and Supply C.D. Howe, who had already spurred the creation of a national airline and a draft *Convention on Civil Aviation*, Canada played a leading role in setting out these international rules and standards.

The International Civil Aviation Organization is a specialized agency whose work is coordinated by the United Nations (UN) Economic and Social Council. As well as promoting safety through worldwide standardization, training and regulation, ICAO gathers statistics, works to reduce red tape at international airports, codifies international air law and extends technical assistance to developing countries.

It was Canada's contribution to the Chicago conference, coupled with its pivotal geographic location, that influenced the UN's decision to name a Canadian city as permanent headquarters of ICAO. The only UN organization based in Canada, ICAO has drawn aeronautics experts from around the globe to Montréal and fostered the city's reputation as the "air capital of the world."

À l'exception de quelques esprits éclairés, qui aurait pu prévoir que les percées technologiques réalisées pendant la Seconde Guerre mondiale propulseraient l'avion en tête des modes de transport civil de l'ère moderne?

Ceux qui avaient pressenti l'essor que connaîtrait le transport aérien après la guerre comprirent également que les États devaient en gérer conjointement la croissance. Le 7 décembre 1944, la *Convention relative à l'aviation civile internationale* fut ratifiée par 52 nations réunies à Chicago, dans l'État de l'Illinois. C'est dans la foulée de cet accord que fut fondée l'Organisation de l'aviation civile internationale (OACI), dont le siège est à Montréal. Visionnaires à leur façon, le premier ministre et le ministre des Munitions et des Approvisionnements de l'époque, Mackenzie King et C.D. Howe, avaient déjà prévu la création d'une compagnie aérienne nationale et l'ébauche d'une convention relative à l'aviation civile. Le Canada fut ainsi l'un des maîtres d'œuvre de la Conférence où furent énoncés les normes et les règlements internationaux.

Organe subsidiaire du Conseil économique et social des Nations Unies (ONU), l'Organisation de l'aviation civile internationale favorise la sécurité aérienne par la normalisation, la formation et la réglementation à l'échelon mondial. Elle se charge également d'engranger des statistiques, d'alléger les formalités aux aéroports internationaux, de codifier le droit aérien et d'offrir une assistance technique aux nations en développement.

Sensible au rôle magistral du Canada à Chicago et soucieuse de mettre à profit la situation géographique de celui-ci, l'ONU décide d'y installer le siège permanent de l'OACI. Seule institution onusienne en sol canadien, l'OACI attire à Montréal les cerveaux de l'aéronautique des quatre coins du globe et consacre sa réputation de capitale mondiale de l'aviation commerciale.

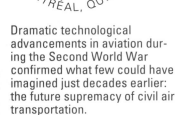

Canada played a leading role in the foundation 50 years ago of the International Civil Aviation Organization (ICAO), whose permanent headquarters is in Montréal.

Le Canada fut à l'origine de la fondation de l'Organisation de l'aviation civile internationale (OACI), qui célèbre son 50ᵉ anniversaire et dont le siège social est situé à Montréal.

Canada is one of more than 180 countries that belong to ICAO and, since the beginning, has been one of the elected members of the ICAO Council. Over the past 50 years, the Council has made technical annexes to the Convention on such issues as aeronautical communications, meteorology, operations, airworthiness, environmental protection and security.

On this commemorative stamp celebrating the 50th anniversary of the International Civil Aviation Organization, Katalin Kovats and Silvio Napoleone of Gottschalk + Ash International (Toronto) have illustrated key elements of air traffic control and navigation.

Du nombre des 180 nations membres, le Canada est un représentant élu du Conseil de l'OACI depuis sa création, il y a 50 ans. Le Conseil rédige des documents techniques – annexes de la *Convention* – portant sur les communications aéronautiques, la météorologie, l'exploitation, la navigabilité, la protection de l'environnement et la sécurité.

Juxtaposant des symboles stylisés du contrôle de la circulation aérienne et la silhouette d'un avion survolant un banc de nuages, Katalin Kovats et Silvio Napoleone, du bureau torontois de *Gottschalk + Ash International*, signent ce timbre saluant le cinquantenaire de l'Organisation de l'aviation civile internationale.

Specifications		Données techniques	
Denomination:	43¢	Valeur :	0,43 $
Date of Issue:	16 September 1994	Date d'émission :	16 septembre 1994
Design:	Stuart Ash, Katalin Kovats, Silvio Napoleone	Conception :	Stuart Ash, Katalin Kovats, Silvio Napoleone
Printer:	Canadian Bank Note Co. Ltd.	Impression :	Canadian Bank Note Co. Ltd.
Quantity:	15,000,000	Tirage :	15 000 000
Dimensions:	26 mm x 40 mm (vertical)	Format :	26 mm sur 40 mm (vertical)
Printing Process:	Lithography in six colours	Procédé d'impression :	lithographie en six couleurs
Pane Layout:	25 stamps	Présentation :	25 timbres

Mammals of Yesteryear

La grande épopée des mammifères

One of the most unusual creatures from the Eocene epoch – about 55 million years ago – was a mammal called *Coryphodon*. Like the hippopotamus, this 500-kilogram browser had canine tusks and a semi-aquatic lifestyle. *Coryphodon* was not the swiftest of animals in any sense: its short legs prevented it from running fast and its tiny 90-gram brain gave it one of the smallest brain-to-bodyweight ratios known among mammals. Fossil remains have been found on Canada's bleak Arctic island, Ellesmere, which in the Eocene was an ideal habitat – warm and swampy.

After the demise of *Coryphodon* came the brontotheres, an important family of herbivorous mammals commonly found in western North America. Replaced later by the rhinoceros, brontotheres were much larger than any living rhinoceros. One of the roughly 40 different members of the family, *Megacerops* weighed as much as four tonnes and was distinguished by its Y-shaped nasal horns.

Feeding on trees and shrubs, *Megacerops* lived in large herds in a parkland environment near what is now Eastend, Saskatchewan, with giant pigs and small deer-like grazers.

The largest and most powerful carnivorous mammal on the continent during the more recent Pleistocene epoch was the giant short-faced bear (*Arctodus simus*). Not as heavily built as a brown bear but much taller (almost 3.5 metres tall on its hind legs), *Arctodus simus* had a short, broad muzzle like a lion's. This rather solitary predator seems to have been capable of great bursts of speed, likely preying on large herbivores such as bison and musk-oxen. *Arctodus simus* reached its northernmost range (and its maximum size) in Alaska and the Yukon about 40,000 years ago.

Quelle étrange allure que celle du *Coryphodon*, mammifère qui vécut à l'époque éocène, il y a environ 55 millions d'années. À l'instar de l'hippopotame, ce lourd brouteur de 500 kilogrammes était armé de canines émergeant en défenses et se plaisait en milieu semi-aquatique. Courtaud et balourd, il agissait au ralenti et à l'étourdie, son minuscule cerveau de 90 grammes lui conférant l'un des rapports masse cervicale-corporelle les moins enviables de tous les mammifères. Des vestiges fossiles de l'animal ont été exhumés dans l'austère île d'Ellesmere, à l'extrême nord du Canada, jadis un paradis éocénien de marécages tempérés.

Les brontothères, grande famille d'herbivores répandue dans l'ouest de l'Amérique du Nord, succédèrent au *Coryphodon*. Ancêtres du rhinocéros, ils étaient par contre plus grands que ce dernier et pouvaient peser jusqu'à quatre tonnes.

Les plus célèbre habitant du Pléistocène est sans doute

Megacerops, l'un des rejetons de cette famille formée d'une quarantaine de membres, se distinguait par ses cornes nasales en forme de Y. Friands de feuilles d'arbres et d'arbustes, de grands troupeaux de *Megacerops* arpentaient les verdoyantes prairies enclavant l'actuelle Eastend, en Saskatchewan, où ils côtoyaient cochons géants et petits ruminants apparentés au cerf.

Le roi des animaux du Pléistocène américain est sans contredit le carnivore *Arctodus simus*, l'ours géant à tête courte. Moins robuste mais beaucoup plus haute que l'ours brun, l'imposante créature atteignait trois mètres et demi, dressée sur ses postérieures, et arborait le museau trapu du lion. Préférant vivre et chasser seul, ce remarquable carnivore doté d'une grande capacité d'accélération se délectait vraisemblablement de gros herbivores, tels le bison et le bœuf musqué. *Arctodus simus* atteignit les confins de son royaume et l'apogée de sa taille en Alaska et au Yukon, il y a environ 40 000 ans.

This set of stamps – the fourth devoted to prehistoric life – focuses on the large mammals that roamed North America before the reign of *Homo sapiens*.

Quatrième jeu consacré à la vie préhistorique, ces timbres rappellent la vie des grands mammifères qui ont régné avant l'*Homo sapiens*.

Mammuthus primigenius. De taille comparable à celle de son cousin, l'éléphant d'Asie, le bien nommé mammouth laineux était revêtu d'un épais manteau de poils, atout indispensable dans l'univers glacial de la toundra.

Probably the most famous Pleistocene mammal is the woolly mammoth (*Mammuthus primigenius*), which is aptly named: its size was comparable to that of its relative, the Asiatic elephant, and its thick pelt enabled it to survive the frigid tundra winters. Much has been learned about the woolly mammoth from well preserved carcasses discovered in Siberia and the many Stone Age depictions in European caves. Despite its adaptations, a rapidly changing environment and increasing human predation spelled an end to the species in North America about 11,000 years ago.

Fourth in a series commemorating Canadian prehistoric life, this set of stamps is again the work of Montréal designer Rolf Harder.

Les carcasses bien conservées découvertes en Sibérie et les peintures rupestres datant de l'âge de la pierre, trouvées en Europe, ont constitué de véritables mines de renseignements sur cette créature. Malgré son adaptabilité, l'espèce nord-américaine du mammouth laineux s'éteignit il y a 11 000 ans, victime des changements successifs dans son milieu et des assauts de l'*Homo sapiens*.

Quatrième chapitre du Grand Livre de la vie préhistorique au Canada, ce jeu de timbres est une création du Montréalais Rolf Harder.

Specifications		Données techniques	
Denomination:	4 x 43¢ (se tenant)	Valeur :	4 x 0,43 $ (se tenant)
Date of Issue:	26 September 1994	Date d'émission :	26 septembre 1994
Design:	Rolf Harder	Conception :	Rolf Harder
Printer:	Canadian Bank Note Co. Ltd.	Impression :	Canadian Bank Note Co. Ltd.
Quantity:	17,000,000	Tirage :	17 000 000
Dimensions:	45 mm x 33 mm (horizontal)	Format :	45 mm sur 33 mm (horizontal)
Printing Process:	Lithography in six colours	Procédé d'impression :	lithographie en six couleurs
Pane Layout:	20 stamps	Présentation :	20 timbres

Sing in Exultation!

Chantons en chœur!

Of all our Christmas traditions, singing is probably the one that most joyfully expresses the spirit of the season. Whether simple carols or major choral works, Christmas music, like no other, brings people together in harmony.

Although most carols sung in Canada originated in Europe, Canadians have created many of their own, beginning about 1640 with the "Huron Carol" by Jean de Brébeuf. More and more Canadian carols were composed in the second half of the 19th century, complementing a similar proliferation of choirs and choral music. Organized Christmas performances have allowed many Canadians to sing a full repertoire of carols and enjoy first-hand such classic works as Handel's *Messiah*.

Choral music, encompassing far more than Christmas works, has a long tradition in Canada. Not surprisingly, choirs were initially organized in churches (the main social centres in many communities), providing amateur singers with a rare opportunity to perform in public. In larger cities, concert choirs were formed as extensions or amalgamations of church choirs. By the First World War, choral singing had reached an unprecedented peak of popularity and quality, not to be matched again until the 1970s. By then, many types of choral groups had sprung up across the country, including all-male, all-female, ethnic and unaccompanied.

Despite their high calibre, Canadian choirs have almost always been amateur. One such group, which has earned an international reputation over the last century, is the Toronto Mendelssohn Choir (TMC). Canada's oldest surviving mixed-voice choir, the TMC was initially a secular extension of the Jarvis Street Baptist Church Choir and one of the first to perform serious secular music.

De toutes les traditions de Noël, le chant est peut-être celle qui permet le mieux d'exprimer l'esprit des Fêtes. Simple cantique ou pièce à plusieurs voix, la musique de Noël fait, comme nulle autre, vibrer nos âmes à l'unisson.

La plupart des airs de Noël chantés au Canada ont été importés de la vieille Europe, mais déjà vers 1640 retentissent les premières mesures d'une musique du pays lorsque Jean de Brébeuf signe *Noël huron*. La seconde moitié du XIXᵉ siècle verra fleurir au Canada chants de Noël ainsi que musique chorale et chœurs. Grâce aux concerts tenus à l'occasion des Fêtes, nombre de Canadiens peuvent entonner le répertoire de circonstance et entendre des œuvres magistrales, comme le *Messie* de Hændel.

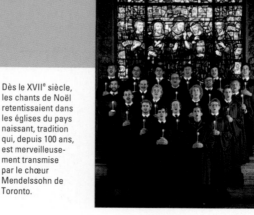

Plus vaste que les seuls chants de Noël, la musique chorale participe chez nous d'une longue tradition. C'est dans les églises de villages, lieux de rassemblement privilégiés, que sont formés les premiers chœurs et que maints amateurs ont l'occasion de se produire en public. Dans les grands centres urbains, les chantres et choristes d'église s'unissent pour créer des formations de concert. À l'aube de la Première Guerre mondiale, qualité et popularité du chant choral sont à leur faîte. Un tel engouement ne renaîtra que dans les années 1970 lorsque des chorales de tous genres, composées d'hommes ou de femmes seulement, privilégiant un répertoire ethnique ou le chant *a cappella*, viendront enrichir l'univers sonore.

Malgré leur talent certain, les chœurs canadiens ont presque toujours été formés d'amateurs. L'un d'eux, le chœur Mendelssohn de Toronto, s'est bâti une réputation sur la scène internationale au cours des 100 dernières années. Issu du *Jarvis Street Baptist Church Choir*, le doyen des chœurs mixtes canadiens a été l'un des

In the 17th century, Christmas carols began to ring forth from the churches of this new country. For the past hundred years, the tradition begun then has been magnificently upheld by the Toronto Mendelssohn Choir.

Dès le XVIIᵉ siècle, les chants de Noël retentissaient dans les églises du pays naissant, tradition qui, depuis 100 ans, est merveilleusement transmise par le chœur Mendelssohn de Toronto.

premiers à interpréter de la musique profane. Le groupe, qui offre un répertoire où se côtoient premiers chants baroques et œuvres de commande, rassemble aujourd'hui 200 voix masculines et féminines.

Today, the TMC comprises about 200 men and women, whose repertoire ranges from early Baroque to commissioned works.

The venue of the TMC's first performance – and its home until 1982 – was Massey Hall. Also celebrating its centennial this year, Massey Hall was Toronto's first permanent concert hall and, for many years, the only one in Canada designed specifically for musical entertainment.

This year's Christmas stamps, featuring Yuletide singers in four different contexts, were designed by Diti Katona and John Pylypczak of Toronto, with illustrations by Nina Berkson of Montréal.

Massey Hall, berceau du chœur Mendelssohn et son foyer jusqu'en 1982, est la plus ancienne salle de concert permanente à Toronto. Longtemps la seule au Canada conçue pour la présentation de productions musicales, l'enceinte célèbre aussi son centenaire en 1994.

Cette année, les timbres émis à l'occasion des Fêtes mettent en scène des chanteurs célébrant Noël. Les concepteurs Diti Katona et John Pylypczak, de Toronto, et l'illustratrice Nina Berkson, de Montréal, en sont les minutieux artisans.

Specifications		Données techniques	
Denomination:	38¢, 43¢, 50¢, 88¢	Valeur :	0,38 $; 0,43 $; 0,50 $; 0,88 $
Date of Issue:	3 November 1994	Date d'émission :	3 novembre 1994
Design:	John Pylypczak, Diti Katona	Conception :	John Pylypczak, Diti Katona
Illustration:	Nina Berkson	Illustration :	Nina Berkson
Printer:	Canadian Bank Note Co. Ltd.	Impression :	Canadian Bank Note Co. Ltd.
Quantity:	38¢ – 50,700,000	Tirage :	0,38 $ – 50 700 000
	43¢ – 74,600,000		0,43 $ – 74 600 000
	50¢ – 13,050,000		0,50 $ – 13 050 000
	88¢ – 13,050,000		0,88 $ – 13 050 000
Dimensions:	38¢ – 40 mm x 26 mm (horizontal)	Format :	0,38 $ – 40 mm sur 26 mm (horizontal)
	43¢ – 36 mm x 30 mm (horizontal)		0,43 $ – 36 mm sur 30 mm (horizontal)
	50¢, 88¢ – 30 mm x 36 mm (vertical)		0,50 $; 0,88 $ – 30 mm sur 36 mm (vertical)
Printing Process:	Lithography in six colours	Procédé d'impression :	lithographie en six couleurs
Pane Layout:	43¢, 50¢, 88¢ – 50 stamps (pane)	Présentation :	0,43 $; 0,50 $; 0,88 $ – 50 timbres (feuille)
	38¢, 43¢ – 10 stamps (booklet)		0,38 $; 0,43 $ – 10 timbres (carnet)
	50¢, 88¢ – 5 stamps (booklet)		0,50 $; 0,88 $ – 5 timbres (carnet)

Victory in Sight　　　**Victoire à l'horizon**

The Allied landing on the Normandy coast on D-Day (6 June 1944) was nothing less than the most difficult and complicated military operation in history. It was also an operation of monumental proportions. Of the D-Day armada, one Canadian soldier commented, "It looked as if you could walk across the Channel on the ships and not get your feet wet." The Canadian navy, contributing 110 ships and 10,000 soldiers, was responsible not only for transporting manpower and equipment, but also for shelling the German defences on the beaches. The Canadian army was assigned an invasion sector all its own (Juno Beach), where the troops fought under worse conditions than any other Commonwealth division.

Although the beaches had already been bombed, Allied troops were faced with "a coastline bristling with guns, concrete emplacements, pillboxes, fields of barbed wire and mines." It was the artillery crews that provided all-important covering fire, defending the beachhead against German counterattacks while vehicles, supplies and troops came ashore.

By D-Day, Allied air forces already had mastery of the French skies. No. 83 Group of the 2nd Allied Tactical Air Force, which included many RCAF squadrons, played a crucial role in the first few days of the Normandy invasion. In offering air support, they allowed ground forces to secure and expand their beachhead. Throughout the campaign, the tactical squadrons devastated the Germans: RCAF planes alone accounted for 2,600 enemy armoured vehicles.

Although the Normandy campaign was successfully completed by the end of August, many bloody battles remained to be fought to liberate western Europe. One area still to be wrested from German hands was Holland's Walcheren Island and the estuary of the Scheldt. The Allies had already captured Antwerp, Belgium, a key port on the river, but not the approaches to the city.

«On aurait pu franchir la Manche sans même se mouiller les pieds, rien qu'en sautant d'une embarcation à l'autre.»

C'est ainsi qu'un fantassin canadien évoquera le débarquement des Alliés sur la côte normande le matin du 6 juin 1944. Opération militaire d'envergure, d'une complexité et d'une difficulté jusqu'alors inégalées, le débarquement en Normandie, connu sous le nom de Jour J, engage 110 bâtiments de guerre et 10 000 soldats de la Marine canadienne. Chargée de transporter troupes et matériel, l'armada canadienne pilonne les positions allemandes, puis débarque, seule, sur la plage Juno, semée des pires embûches qu'aura à surmonter une division du Commonwealth.

Essuyant le tir de barrage de l'ennemi claquemuré dans des bunkers sur la plage hérissée de canons, contournant casemates, barbelés et champs de mines, les véhicules chargés de matériel et les troupes de libération déferlent sur la côte déjà nettoyée par les bombardiers. Les hommes sont protégés par le feu nourri des artilleurs, auquel se bute la contre-offensive allemande.

Le 6 juin, les Alliés maîtrisent déjà le ciel français. L'apport du groupe nᵒ 83 de la 2ᵉ Force aérienne tactique alliée, fort de plusieurs escadrons de l'ARC, est crucial les premiers jours du débarquement. Appuyées par le pilonnage obstiné de ces aviateurs d'élite, les forces terrestres consolident et étendent leur tête de pont. Pendant la campagne, les escadrons tactiques, véritables tigres des airs, fondront sans merci sur les troupes allemandes; les chasseurs de l'ARC terrassent à eux seuls 2600 blindés ennemis.

Fin août, la réussite de la campagne de Normandie est assurée, mais, pour libérer l'Europe de l'Ouest, plusieurs victoires coûteuses restent à arracher. Les Allemands tiennent toujours l'île néerlandaise de Walcheren et l'estuaire de l'Escaut. Les Alliés ont pris Anvers, mais les forces ennemies bouclent ce port stratégique. La 1ʳᵉ Armée canadienne est chargée d'assaillir l'ennemi, qui est solidement retranché au milieu des polders inondés. L'eau arrivant par endroits jusqu'à la ceinture, les soldats canadiens avancent péniblement. Ils essuient de lourdes pertes.

This set of stamps marking the 50th anniversary of D-Day salutes the courage of the 10,000 Canadian soldiers who participated in the Normandy campaign of June 1944.

Ce jeu de timbres marquant le 50ᵉ anniversaire du Jour J salue le courage des 10 000 soldats canadiens qui ont participé au débarquement de Normandie en juin 1944.

Lorsque, cinq semaines plus tard, les bouches de l'Escaut sont libérées, les réserves canadiennes sont sur le point de manquer.

The First Canadian Army was assigned the gruelling task of fighting the well entrenched Germans on a battlefield of flooded polders. Often waist-deep in water, Canadian troops suffered heavy losses. By the time the Scheldt was taken five weeks later, there was a severe shortage of adequately trained Canadian reserves.

This is the sixth set in a series of stamps marking the 50th anniversary of the Second World War. Montréal designer Pierre-Yves Pelletier and illustrator Jean-Pierre Armanville have once again collaborated on the stamp design.

Fidèles compagnons d'armes, le concepteur Pierre-Yves Pelletier et l'illustrateur Jean-Pierre Armanville ont de nouveau répondu à l'appel pour réaliser ce sixième jeu de la série soulignant le cinquantenaire de la Seconde Guerre mondiale.

Specifications

Denomination:	4 x 43¢ (se tenant)
Date of Issue:	7 November 1994
Design:	Pierre-Yves Pelletier
Illustration:	Jean-Pierre Armanville
Printer:	Canadian Bank Note Co. Ltd.
Quantity:	10,000,000
Dimensions:	48 mm x 30 mm (horizontal)
Printing Process:	Lithography in five colours
Pane Layout:	16 stamps

Données techniques

Valeur :	4 x 0,43 $ (se tenant)
Date d'émission :	7 novembre 1994
Conception :	Pierre-Yves Pelletier
Illustration :	Jean-Pierre Armanville
Impression :	Canadian Bank Note Co. Ltd.
Tirage :	10 000 000
Format :	48 mm sur 30 mm (horizontal)
Procédé d'impression :	lithographie en cinq couleurs
Présentation :	16 timbres

Greetings ... Custom-Made

Les timbres-souhaits sont de la fête!

Since time immemorial, human beings have celebrated important life events. Personal celebrations such as birthdays and more universal ones such as Valentine's Day have long been occasions to extend wishes to friends and family.

Few personal celebrations are more joyous or more universally observed than birthdays. Some of the most popular birthday customs have endured for many centuries. The candle-laden birthday cake, for example, dates back to the ancient Greeks, who believed that burning candles had mystical powers and could carry messages to the gods. It is now widely accepted that a birthday wish can be granted only if it is kept secret and if all the candles are blown out in one puff.

Another yearly celebration with age-old origins is Valentine's Day, apparently named after a third-century Christian priest of Rome. At a time when wedlock had been outlawed, Valentine was supposedly imprisoned and then killed on 14 February for secretly marrying young couples.

To help Canadians send their very best wishes on such happy occasions, Canada Post developed a brand-new kind of stamp this year. These self-adhesive stamps are the first in the world that can accommodate a personalized "message" – a vignette appropriate to a certain event.

The banner-like stamp has a circular space in which can be placed any one of seven different round stickers. The stickers' colourful images include everything from a baby rattle for a birth to a bouquet of flowers for such occasions as Mother's Day.

Chez l'être humain, le sens de la réjouissance est presque inné et, de tout temps, il est coutume de souligner les événements marquants de la vie. À l'occasion de fêtes personnelles ou collectives, qu'il s'agisse d'un anniversaire de naissance ou de la Saint-Valentin, il fait bon exprimer des souhaits à ses parents et amis.

L'anniversaire de naissance, occasion célébrée par jeunes et moins jeunes du monde entier, s'accompagne de rites anciens dont certains sont pratiqués depuis plusieurs siècles, voire des millénaires. Ainsi en est-il du gâteau d'anniversaire décoré de bougies, survivance d'un mythe de l'Antiquité grecque, qui prêtait à la flamme un pouvoir mystique de médiation entre le monde des mortels et celui des dieux. Aujourd'hui, pour qu'un souhait d'anniversaire s'accomplisse, la coutume veut qu'on le tienne secret et qu'on parvienne d'un seul souffle à éteindre les bougies ornant le gâteau.

Issue, elle aussi, d'une tradition séculaire, la Saint-Valentin devrait son nom à un prêtre chrétien ayant vécu à Rome, au IIIe siècle. La légende raconte que Valentin mariait de jeunes couples, une cérémonie alors frappée d'interdit. C'est pour cette transgression qu'il aurait été emprisonné, puis exécuté un 14 février.

La Société canadienne des postes inaugure cette année l'ère des timbres-souhaits. Il s'agit des tout premiers timbres autocollants sur lesquels l'expéditeur peut apposer une vignette choisie selon l'occasion qu'il désire souligner.

Le timbre, dont la forme rappelle une banderole, présente un cercle blanc pouvant recevoir une vignette autocollante ornée de l'un de sept symboles. Du hochet, qui marque bien la naissance d'un enfant, aux fleurs, parfum idéal pour la fête des Mères, tous les goûts et toutes les occasions trouvent leur motif. Chaque carnet renferme 10 timbres et 35 vignettes, soit 5 de chaque symbole. Les vignettes supplémentaires peuvent devenir d'attrayants objets de décoration ou de collection.

A brand-new series of self-adhesive stamps with separate vignette stickers is an original way of sending greetings to parents and friends and highlighting the year's most special occasions.

Grâce aux vignettes autocollantes aux couleurs des fêtes et des anniversaires qui marquent les saisons, ces timbres constituent une façon originale d'exprimer ses souhaits aux parents et amis.

Each stamp pack contains 10 stamps and 35 stickers – five of each vignette. Since the stickers are not technically part of the stamp, they can be used anywhere and may become collectibles themselves.

The brainchild of Canada Post's Stamp Products Division, these unique stamps were designed by Steve Spazuk and his team at Tarzan Communication Graphique, with photographer Adrien Duey, all of Montréal. The possibilities for this ground-breaking design are limitless. If public reaction is favourable, Canada Post will consider new designs and applications for the vignettes.

Steve Spazuk et son équipe, de la maison Tarzan Communication Graphique, et le photographe Adrien Duey, tous de Montréal, ont incarné dans des timbres remarquables une idée de la direction des Produits philatéliques de la Société canadienne des postes.

Très originale, la formule est féconde en possibilités. Si le public lui fait fête, la Société envisagera d'en élargir l'application.

Specifications		Données techniques	
Denomination:	2 x 43¢ (stamp booklet) (2 stamps, 7 stickers)	Valeur :	2 x 0,43 $ (carnet de timbres) (2 timbres, 7 vignettes)
Date of Issue:	28 January 1994	Date d'émission :	28 janvier 1994
Design:	Tarzan	Conception :	Tarzan
Photography:	Adrien Duey	Photographie :	Adrien Duey
Printer:	Leigh-Mardon Pty Ltd.	Impression :	Leigh-Mardon Pty Ltd.
Quantity:	Continuous printing	Tirage :	impression continue
Dimensions:	Stamp – 57 mm x 30 mm (horizontal rectangle) Sticker – 19 mm (diameter)	Format :	timbres – 57 mm sur 30 mm (rectangle horizontal) vignettes – 19 mm (diamètre)
Printing Process:	Lithography in six colours	Procédé d'impression :	lithographie en six couleurs
Pane Layout:	10 stamps 35 stickers	Présentation :	10 timbres 35 vignettes

DAY OF ISSUE · JOUR D'ÉMISSION · TRURO, NOVA SCOTIA · 94-02-21

**Small Cities,
Great Buildings**

**Grandeur architecturale
des petites villes**

When the Provincial Normal School in Truro was built in 1878, it represented far more than a new establishment for training teachers in Nova Scotia: with its soaring cupola, ornamental ironwork and patterned brick walls, the building was a true work of art.

The structure is actually a sophisticated example of the Second Empire style of architecture, which originated in France. Highly fashionable in Canada in the 1870s and 1880s, the style was used for a variety of public buildings, from banks to religious institutions. It is characterized by a mansard roof – a double-pitched roof with a virtually flat upper slope and a steep lower side. Other features include a prominent central section with end pavilions, dormer windows, iron decorations or "cresting" on roofs and towers, and contrasting patterns of brickwork.

The Normal School was the work of Henry Busch, a Halifax architect who designed many noteworthy buildings in Canada. The cupola and iron cresting are gone, but the school building still stands, now home to the local YMCA.

The Court House in Yorkton, Saskatchewan, is an equally distinctive public landmark but represents a later French architectural style originating at the École des beaux-arts in Paris. The beaux-arts style was extremely popular in Canada between 1900 and 1920. It features white stone surfaces, columns and pilasters (square or rectangular supports), as well as decorations above doors and windows and elaborate mouldings. In its heyday, the style was used in a range of public and commercial buildings, from Toronto's Union Station to Dawson's Canadian Imperial Bank of Commerce.

Construite en 1878, l'École normale de Truro vient enrichir l'infrastructure scolaire de la Nouvelle-Écosse. Sa coupole élancée, ses ornements en fer forgé et ses murs de briques aux motifs étudiés lui assurent une place dans le patrimoine architectural de la province.

L'École normale constitue un exemple splendide du style Second Empire, courant d'origine française très prisé au Canada dans les années 1870 et 1880. Divers immeubles publics affichent ce style – depuis des bâtiments religieux jusqu'à des institutions bancaires – qui se caractérise par un comble à la Mansart à deux versants : le terrasson, à la pente quasi inexistante, et le brisis, très pentu. Les bâtiments Second Empire se distinguent également par leur imposant corps central, flanqué de pavillons, par leurs lucarnes, leurs ornements en fer forgé (ou crête) qui couronnent toiture et tourelles et par leur ouvrage de briques aux motifs contrastés.

L'École normale de Truro est l'œuvre de Henry Busch, éminent architecte d'Halifax qui a dessiné de nombreux autres édifices au Canada. La coupole et la crête de fer ont disparu, mais l'immeuble a résisté aux outrages du temps; il abrite maintenant les locaux du YMCA.

Autre monument public tout aussi remarquable, le palais de justice de Yorkton, en Saskatchewan, illustre un style architectural plus récent, créé par l'École des beaux-arts de Paris. Bien en vogue au Canada de 1900 à 1920, le style Beaux-Arts privilégie les pans de pierres blanches, les colonnes et les pilastres (supports carrés ou rectangulaires), les portails et fenêtres ornementés et les moulures finement ouvrées. La gare Union à Toronto et la succursale de la Banque canadienne impériale de commerce à Dawson figurent parmi les nombreux immeubles publics et commerciaux qui témoignent de l'âge d'or au pays de ce langage architectural.

Maurice William Sharon, architecte de la Saskatchewan, a conçu le palais de justice de Yorkton ainsi que plusieurs autres édifices de même

As these stamps of buildings in the Second Empire and beaux-arts styles show, France has had a strong influence on the development of Canadian architecture.

L'architecture canadienne a puisé à diverses sources, notamment françaises, comme en témoignent ces timbres consacrés à des édifices de style Second Empire et Beaux-Arts.

fonction dans la province. Presque inchangé depuis sa construction, en 1919-1920, l'imposant bâtiment a d'ailleurs conservé sa vocation première.

Saskatchewan's provincial architect, Maurice William Sharon, designed the Yorkton Court House, as well as several other courthouses in the province. This grand structure has undergone no major alterations since it was built in 1919-20 and to this day serves as the town's courthouse.

As with the previous high-value definitives in the Canadian Architecture series, these stamps are the work of Montréal designer Raymond Bellemare. Once again, Bellemare has used photographs and original plans of the buildings to produce highly accurate computer-generated images.

Le graphiste montréalais Raymond Bellemare, maître d'œuvre de la série consacrée à l'architecture canadienne, signe ces timbres courants de valeur nominale élevée. Une fois de plus, il s'est servi de photographies et des plans originaux des édifices pour produire, par infographie, des illustrations d'une grande précision.

Specifications

Denomination:	$1, $2
Date of Issue:	21 February 1994
Design:	Raymond Bellemare
Printer:	Leigh-Mardon Pty Ltd.
Quantity:	Continuous printing
Dimensions:	48 mm x 39.835 mm (horizontal)
Printing Process:	$1 – Lithography in four colours with steel engraving in one colour
	$2 – Lithography in five colours with steel engraving in one colour
Pane Layout:	25 stamps

Données techniques

Valeur :	1 $, 2 $
Date d'émission :	21 février 1994
Conception :	Raymond Bellemare
Impression :	Leigh-Mardon Pty Ltd.
Tirage :	impression continue
Format :	48 mm sur 39,835 mm (horizontal)
Procédés d'impression :	1 $ – lithographie en quatre couleurs et gravure sur acier en une couleur
	2 $ – lithographie en cinq couleurs et gravure sur acier en une couleur
Présentation :	25 timbres

DAY OF ISSUE · JOUR D'EMISSION
94-02-25
SUMMERLAND, BC.

Warm weather in Canada has long been valued for the local fresh fruit it produces, both cultivated and wild. But Canadians can enjoy local fruit year-round; apples and nuts keep fresh, and other fruits are popular dried or in preserves, juices or sauces.

More than half of all apples grown in Canada are sold fresh. The Snow apple, named for its brilliant white flesh, originated in France and was one of the first apple trees to be planted in the New World in the 1700s. While most of its contemporaries have disappeared, this heritage variety is making a commercial comeback. Today, the Snow apple is grown mainly in Quebec, where it is appropriately known as *la Fameuse*. Crisp and juicy, it is best eaten raw or squeezed to make cider.

Most familiar dried or in preserves, apricots grown in Canada are becoming increasingly popular as a fresh fruit. The Westcot apricot was cultivated from Asian apricots to survive the harsh Canadian climate. But with blossoms flowering so early they are susceptible to frost damage, the Westcot, like other Canadian apricots, is grown primarily in British Columbia's mild, dry Okanagan Valley. This hardy hybrid of Manchurian and McClure varieties produces a soft, yellow-orange fruit with a pink blush. Deep green heart-shaped leaves and richly scented white blossoms also make the Westcot an ornamental favourite.

Of the six hickory species indigenous to Canada, the shagbark is the most important for edible nuts. A cross between a walnut and a pecan in flavour, the savoury nut once provided natives with a nutritious milky liquid made by pounding and boiling the unshelled nuts. But there is more to the shagbark hickory than its fruit.

Au pays, on attache un grand prix aux beaux jours d'été pour les fruits cultivés et sauvages qu'ils nous apportent. Il est vrai, toutefois, que l'on peut savourer des produits canadiens en toutes saisons : les pommes et les noix se gardent fraîches, et d'autres fruits se mangent séchés ou transformés, en conserve, en jus ou en compote.

Plus de la moitié des pommes récoltées au Canada sont destinées au marché du frais. Le pommier «Fameuse» porte un fruit croquant et juteux à souhait. Originaire de France, il était parmi les premiers pommiers que plantèrent les colons en terre d'Amérique au XVIIIe siècle. Après une éclipse qui aura eu raison de la plupart de ses vieux cousins, cette variété ancestrale revient en force sur le marché. La chair blanche et éclatante de son fruit lui a valu le nom de «pomme de neige» (*Snow apple*) au Canada anglais. La Fameuse, qui est surtout cultivée au Québec, est meilleure crue; pressée, elle donne un cidre réputé.

Les abricots cultivés au pays sont depuis longtemps servis séchés ou en conserve, mais de plus en plus, on les consomme frais. Issu de variétés asiatiques, l'abricotier «Westcot» a été acclimaté au rude hiver canadien. De floraison précoce et craignant le gel printanier, le «Westcot», comme les autres variétés canadiennes, croît principalement dans la vallée de l'Okanagan, paradis fruitier de la Colombie-Britannique au climat doux et sec. Hybride rustique des variétés «Mandchourie» et «McClure», l'abricotier «Westcot» donne un fruit tendre dont l'épiderme jaune orangé s'enjolive de pigments roses. Ses feuilles cordiformes d'un vert foncé et ses fleurs blanches aux effluves capiteux lui assurent une place privilégiée dans nos jardins.

Parmi les six essences de noyers indigènes du Canada, c'est le fruit du caryer ovale, dont le goût rappelle celui de la noix «de Grenoble» et de la pacane, qui présente la plus grande importance. Les autochtones tiraient un lait nourrissant de cette noix après l'avoir fait bouillir dans son écale. Le caryer ovale, qui affectionne la vallée du fleuve

Despite its extreme and unpredictable climate, Canada is home to an astonishing variety of fruit trees that produce luscious crops.

Pays au climat rude et imprévisible, le Canada compte une étonnante diversité d'arbres fruitiers qui procurent de savoureuses récoltes.

Saint-Laurent et le bassin inférieur des Grands Lacs, produit une sève sucrée, que l'on recueille à la façon de l'eau d'érable, et son bois parfumé est recherché pour la fumaison des viandes.

Found along the St. Lawrence Valley and lower Great Lakes, this versatile tree also produces a sweet sap that can be tapped like that of maple and an aromatic wood renowned for smoking meats. The shagbark is most highly prized for its strong, resilient wood, unsurpassed as a material for tool handles, bows and lacrosse sticks.

This is the third year that fruit trees have been featured on Canada's medium-value definitive stamps. Their delicate, composite images are once again the creation of the Montréal-based design team of Clermont Malenfant, Denis Major and Richard Robitaille.

Par-dessus tout, il s'agit d'une essence dure et résistante, inégalée dans la fabrication de manches d'outils, d'arcs et de bâtons de crosse.

Pour une troisième année d'affilée, les timbres courants de valeur nominale moyenne se parent d'arbres fruitiers. De nouveau, les Montréalais Clermont Malenfant, Denis Major et Richard Robitaille ont uni leurs talents pour créer des motifs d'une savoureuse délicatesse présentant les caractéristiques des quatre arbres fruitiers à l'honneur.

Specifications

Denomination:	50¢, 69¢, 88¢
Date of Issue:	25 February 1994
Design:	Clermont Malenfant
Photo-illustration:	Richard Robitaille, Denis Major
Printer:	Canadian Bank Note Co. Ltd.
Quantity:	Continuous printing
Dimensions:	32 mm x 26 mm (horizontal)
Printing Process:	Lithography in five colours
Pane Layout:	50¢, 69¢, 88¢ – 50 stamps (pane)
	50¢, 88¢ – 5 stamps (booklet)

Données techniques

Valeur :	0,50 $; 0,69 $; 0,88 $
Date d'émission :	25 février 1994
Conception :	Clermont Malenfant
Photo-illustration :	Richard Robitaille, Denis Major
Impression :	Canadian Bank Note Co. Ltd.
Tirage :	impression continue
Format :	32 mm sur 26 mm (horizontal)
Procédé d'impression :	lithographie en cinq couleurs
Présentation :	0,50 $; 0,69 $; 0,88 $ – 50 timbres (feuille)
	0,50 $; 0,88 $ – 5 timbres (carnet)

Colección de sellos de correo de Canadá – 1994

Kanadische post-marken Sammlung 1994

La Colección de 1994 de sellos de correos de Canadá está dedicada al homenaje de doña Jeanne Sauvé, una canadiense muy estimada que ha contribuido de manera significativa a la vida pública como periodista, miembro del Parlamento, Presidente de la Cámara de las Comunes y Gobernadora general. (página 8)

Este año Correos de Canadá rinde homenaje a Eaton's, un gran almacen fundado en Toronto hace 125 años por Timothy Eaton. Eaton revolucionó la industria de los comercios al por menor vendiendo artículos a precios fijos y cobrando solamente en efectivo, tanto como al introducir innovaciones como los catálogos de pedidos por correo. (página 10)

La cuarta colección consta de una serie dedicada al patrimonio fluvial canadiense, los cinco ríos destacados en 1994 fueron importantes rutas del comercio de pieles: el *Saguenay* en Quebec, el *French* en Ontario, el *Churchill* en Saskatchewan y Manitoba, el *Columbia* en Columbia Británica y el *Mackenzie* en los Territorios del Noroeste. (página 12)

Un exquisito retrato pintado por Frederick Varley embellece el sello de este año de la serie de Obras Maestras de Arte Canadiense. *Vera* figura como un monumento, debido al extraordinario uso de la pintura de Varley así como a la mujer que representa, a la que llamó "la única y mayor influencia de mi vida". (página 14)

Los Juegos del Commonwealth, celebrados en Agosto en Victoria, Columbia Británica, fueron conmemorados con dos series de sellos que representan seis de los varios encuentros deportivos, «lacrosse» (juego parecido a la vilorta), bochas sobre hierba, maratón en silla de rueda, salto de altura, salto de trampolín (clavados) y ciclismo. (página 16)

Las Naciones Unidas declararon 1994 el Año Internacional de la Familia para ayudar a fortalecer "la democracia más pequeña de la sociedad". Correos de Canadá apoyó la moción emitiendo un recuerdo único, en una hoja de cinco sellos con panorama de escenas familiares. (página 20)

Como la hoja de arce ha sido desde hace mucho tiempo el emblema de la identidad nacional de Canadá, era conveniente celebrar el día de Canadá con doce (12) sellos que retratan los arces de todas partes del país, incluyendo las diez especies indígenas y las dos variedades importadas. (página 22)

Billy Bishop y "La Bolduc" se han ganado una fama legendaria con sus respectivos talentos: Bishop campeón de la aviación durante la primera guerra mundial y la Sra. Bolduc como cantante, compositora y violinista. Nacidos hace 100 años los dos canadienses fueron honrados con un par de sellos emparejados. (página 24).

Ahora en su segundo año, la serie histórica de vehículos continúa con una hoja recuerdo que representa seis vehículos de servicios públicos: un tranvía, un furgón de policía, un quitanieve, un coche de bomberos, un autocar y una ambulancia militar. (página 26)

El 50 aniversario de la Organización de la Aviación Civil Internacional fue motivo de una conmemoración especial. Unica agencia de las Naciones Unidas en Canadá, la O.A.C.I. promociona la seguridad y la eficiencia de la aviación civil en más de 180 países. (página 28)

La serie de la Vida Prehistórica en Canadá de este año está centrada en cuatro mamíferos: el hipopótamo como el *Coryphodon*, el rinoceronte, como el *Megacerops*, *Arctodus simus* o el oso de cara corta y el *Mammuthus primigenius* o mamut lanoso. (página 30)

Los sellos de las Navidades representan este año los cantantes que expresan con tanta alegría el ambiente de dicha temporada. Los sellos también marcan el centenario del coro *Mendelssohn* de Toronto y del *Massey Hall* de Toronto. (página 32)

Este año se conmemoró el 50 aniversario de la segunda guerra mundial en cuatro sellos que subrayan el papel del Ejército canadiense aterrizando en la playa de Junio en el día D, el de la artillería en Normandía, el apoyo de las tácticas de las fuerzas aéreas, y la liberación en la isla de Walcheran y en el estuario de la Scheldt. (página 34)

Este año, Correos de Canadá introduce un concepto revolucionario en el dibujo de los sellos, el primer sello "personalizado" del mundo para ocasiones especiales como cumpleaños o bodas. Estos autoadhesivos, susceptibles de reimpresión, pueden hacerse a la medida colocando una de las siete diferentes viñetas en el centro del sello. (página 36)

Dos acontecimientos públicos decisivos están subrayados en otros sellos -susceptibles de reimpresión- de gran valor de la serie de Arquitectura Canadiense: la Escuela Normal de Truro, en Nueva Escocia, y el Palacio de Justicia en Yorkton, en Saskatchewan. (página 38)

Tres variedades de árboles frutales están representados de nuevo en los sellos – susceptibles de reimpresión – de valor medio. Este año se destucan la manzana *Snow Apple*, el albaricoque *Westcot* y la hicoria blanca. (página 40)

Die erste Briefmarke der "Souvenir-Sammlung kanadischer Briefmarken des Jahres 1994" ist Jeanne Sauvé gewidmet, einer überaus beliebten Persönlichkeit, die als Journalistin, Parlamentsmitglied, Sprecherin des House of Commons und Generalgouverneur einen bedeutenden Beitrag zum öffentlichen Leben Kanadas geleistet hat. (Seite 8)

Die kanadische Post würdigt in diesem Jahr das Großkaufhaus Eaton, das vor 125 Jahren von Timothy Eaton in Toronto gegründet wurde. Eaton revolutionierte die Einzelhandelsindustrie, indem er Gebrauchsgüter zu festen Preisen und nur gegen bar verkaufte und so innovative Konzepte wie die Bestellung nach Katalog einführte. (Seite 10)

Der vierte Satz einer Serie, die kanadischen Flüssen gewidmet ist, weist in diesem Jahr auf fünf Flüsse hin, die früher als Wasserwege für den Pelzhandel Bedeutung hatten: der Saguenay in der Provinz Québec, der French River in Ontario, der Churchill River in Saskatchewan und Manitoba, der Columbia River in British Columbia und der Mackenzie in den Nordwest-Territorien. (Seite 12)

Ein beeindruckendes Porträt, Werk des Malers Frederick Varley, ist auf der diesjährigen Sondermarke der Serie "Meisterwerke kanadischer Kunst" abgebildet. Vera ist nicht nur ein Beweis der außergewöhnlichen Maltechnik Varleys, sondern auch der Name der Frau, die nach den Worten des Künstlers "sein Leben am nachhaltigsten beinflußt hat". (Seite 14)

Der Commonwealth-Spiele, die im August in Victoria, British Columbia, stattfinden, wird mit zwei Briefmarkensätzen gedacht, die die sechs populärsten Sportereignisse hervorheben: Lacrosse, Rasen-Bowling, Rollstuhl-Marathon, Hochsprung, Tauchen und Radfahren. (Seite 16)

Die Vereinten Nationen haben 1994 zum Jahr der Familie erklärt, um "die kleinste Demokratie im Herzen der Gesellschaft" zu würdigen. Die kanadische Post unterstreicht diese Initiative durch die Herausgabe eines Satzes von fünf Briefmarken, die Szenen des Familienlebens wiedergeben. (Seite 20)

Zur Begehung des Kanada-Tages wurde das Ahornblatt, von jeher das Wahrzeichen der nationalen Identität Kanadas, als Motiv eines Satzes von zwölf Briefmarken gewählt, auf denen Ahornbäume aus allen Teilen des Landes - zehn einheimische Arten und zwei eingeführte Varietäten - abgebildet sind. (Seite 22)

Billy Bishop und "La Bolduc" haben sich einen legendären Ruf aufgrund ihrer besonderen Leistungen erworben: Bishop als erfolgreicher Kampflieger im Ersten Weltkrieg und Frau Bolduc als Sängerin, Songtexterin und Musikantin. Die beiden Kanadier wurden zur ihrem hundertsten Geburtstag mit der Herausgabe von zwei zusammengehörenden Briefmarken geehrt. (Seite 24)

Die Serie alter Fahrzeuge wird auch in diesem Jahr mit einem Satz von sechs Briefmarken fortgesetzt: ein Straßenbahnwagen, ein Polizeiwagen, eine Schneeschleuder, eine Feuerspritze, eine Kraftdroschke und eine Militärambulanz. (Seite 26)

Der fünfzigste Gründungstag der International Civil Aviation Organization war Anlaß für die Herausgabe einer Gedenkbriefmarke. Die ICAO, in der mehr als 180 Länder vertreten sind und die als einzige Organisation der Vereinten Nationen ihren Sitz in Kanada hat, tritt für eine sichere und leistungsfähige Zivilluftfahrt ein. (Seite 28)

Auf den Briefmarken der Serie "Vorgeschichtliches Leben in Kanada" sind in diesem Jahr vier Säugetieren abgebildet: das mammutähnliche Coryphodon, der Megacerops, der Arctodus simus oder Kurzschnauzbär und das Kältesteppen-Mammut oder Mammuthus primigenius. (Seite 30)

Die diesjährigen Weihnachtsbriefmarken sind den Sängern gewidmet, die so gut die Stimmung dieser Zeit wiederzugeben vermögen. Sie erinnern zugleich an den hundersten Jahrestag der Gründung des Torontoer Mendelssohn Chors und der Massey Hall in Toronto. (Seite 32)

Der Einbeziehung Kanadas in den Zweiten Weltkrieg wurde dieses Jahr mit vier Briefmarken gedacht : die Landung der kanadischen Armee auf der Juno Beach am Tage "D", die Rolle der Artillerie in der Normandie, das Eingreifen der Luftwaffe und die Eroberung der Insel Walcheren und der Scheldemündung. (Seite 34)

Dieses Jahr stellt die kanadische Post ein ganz neues Konzept im Briefmarken-Design vor: die erste "personalisierte" Briefmarke für besondere Anlässe wie Geburtstage und Hochzeiten. Auf die Briefmarken dieser Dauerserie kann je nach Wahl eine von sieben verschiedenen Vignetten geklebt werden. (Seite 36)

Zwei öffentliche Gebäude sind auf einem Satz Briefmarken höherer Werte der Dauerserie "Kanadische Artchitektur" zu sehen: die Normal School in Truro, Nova Scotia, und das Gerichtsgebäude in Yorkton, Saskatchewan. (Seite 38)

Obstbäume sind dieses Jahr erneut das Motiv auf den Briefmarken mittlerer Werte dieser Dauerserie: der Winterapfel "Snow apple", die Westcot-Aprikose und die Hickorynuß. (Seite 40)

加拿大一九九四年郵票紀念冊中第一套郵票是紀念讓娜·索佛雄女士，她曾經是深受加拿大人愛戴的、爲社會作過重大貢獻的女士，她當過記者、議員、衆議院議長和總督。(參閱第8頁)

加拿大郵票今年還贊頌了125年前在多倫多由蒂莫西·伊頓創辦的零售商行。伊頓改革了零售工業，提出僅對付現金的顧客實行價格固定的方針，並把這種改革思想引入了郵購商品行業中。(參閱第10頁)

今年紀念加拿大自然河流的第四套郵票選了曾經是毛皮商之路的五大河流，它們是魁北克省的薩格納河，安大略省的法蘭西河，薩斯克其萬省和曼尼托巴省的邱吉爾河，英屬哥倫比亞河和西北地區的馬更些河。(參閱第12頁)

加拿大藝術傑作系列郵票今年選了佛利德克·瓦爾雷畫的一幅精美肖像。«維拉»這幅作品，由于作者離奇地使用了油彩而成爲瓦爾雷藝術上的一個里程碑，同時這幅作品也是對被作者稱爲"對我的一生影響最大的唯一的女人"的紀念。(參閱第14頁)

有兩套郵票紀念在英屬哥倫比亞的維多利亞島舉行的英聯邦運動會。這些郵票代表了體育運動中六種振奮人心的運動，它們是：長曲棍球、草地滾球、輪椅馬拉松、高跳、潛水和自行車賽。(參閱第16頁)

聯合國宣布一九九四年爲國際家庭年，以此來加固家庭這個"最小民主單位"，它是社會的核心。加拿大郵集爲響應這一運動發行了一套由五枚郵票組成的一整版紀念郵票，取材于一幅有關家庭場面的全景圖。(參閱第20頁)

由于楓葉很久以來就是加拿大的象徵，因此用楓樹畫來紀念加拿大國慶節顯爲合適。這一套由十二張組成的郵票包括全國各省的十種土生土長的楓樹和兩種外來的楓樹。(參閱第22頁)

比利·比肖普和"拉·鮑杜克"以他們的才華贏得了傳奇人物的稱號。比肖普在第一次世界大戰中是王牌飛行員，鮑杜克夫人是一位歌唱家、流行歌作者和小提琴手。這兩個加拿大人都出生在一百年前，爲了紀念他們，發行了一套兩張並列的郵票。(參閱第24頁)

今年發行了歷史汽車系列郵票的第二套，由六張代表公共交通工具的一套郵票組成，它們是：有軌電車、警車、消防車、公共汽車和軍用救護車。(參閱第26頁)

今年是世界民用飛機組織建立五十周年，爲此發行了一套特別紀念郵票。這個組織是聯合國唯一設在加拿大的組織，它在180多個國家中促進民用飛機安全有效地飛行。(參閱第28頁)

加拿大史前動物系列郵票今年選了四種哺乳動物：河馬類動物高利佛東，美喀瑟拉摸斯和阿爾托杜斯西牡斯，短臉熊和長毛象。(參閱第30頁)

今年聖誕節郵票選了一些歌唱家，他們非常歡樂地表達出節日的氣氛。這組郵票還體現了多倫多蒙德爾森合唱團和多倫多麥西大廈建立一百周年紀念。(參閱第32頁)

今年加拿大郵票引進了一個全新的有突破性的郵票設計思想，這就是世界上第一種在特殊場合中(比如生日或婚禮)使用的"個人化"郵票。在這些郵票中間是自動膠紙，顧客可以選用七張中的一張圖案自己貼上去。(參閱第36頁)

爲紀念公共事業的兩個里程碑，在加拿大建築系列郵票中又發行了一套高面值郵票：新斯科舍省土魯市的師範學校校址和薩斯克其萬省約克塘市的法院大樓。(參閱第38頁)

今年果樹又是中等面值普通郵票的內容。今年的水果是：雷蘋樹，維斯特科特杏樹和山核桃樹。(參閱第40頁)

La Collezione di Francobolli del Canada del 1994 apre con un francobollo commemorativo in onore di Mme Jeanne Sauvé – una canadese molto amata che ha contribuito in modo significativo alla vita pubblica come giornalista, Membro del Parlamento, Presidente della Camera dei Comuni e Governatore Generale. (pagina 8)

Le Poste del Canada hanno pagato un tributo quest'anno a EATON – un commercio di prodotti al dettaglio fondato a Toronto 125 anni fa da Timothy Eaton. Eaton ha rivoluzionato l'industria al dettaglio con il vendere prodotti a prezzo fisso con solo contanti, come anche introducendo un concetto innovativo come quello del catalogo postale con ordinazioni. (pagina 10)

La quarta serie di francobolli riguarda le tradizioni dei fiumi del Canada; i cinque fiumi rappresentati nel 1994 una volta erano importanti rotte per il commercio di pellicce : il Saguenay in Quebec, il French in Ontario, il Churchill in Saskatchewan e in Manitoba, il Columbia nella Columbia Britannica e il Mackenzie nei Territori del Nord Ovest. (pagina 12)

Un ritratto raffinato dipinto da Frederick Varley eccelle nei francobolli dell'anno nella serie dei Capolavori dell'Arte Canadese. "Vera" è un vero monumento all'uso straordinario di pittura di Varley, come anche alla donna che egli chiama "la più grande singola influenza della mia vita". (pagina 14)

I Giochi del Commonwealth, tenuti in agosto a Vittoria, Columbia Britannica, sono commemorati in due gruppi di francobolli, rappresentando sei degli sport più eccitanti : la crosse, bowling sull'erba, maratona in sedia a rotelle, salto in alto, tuffi e ciclismo. (pagina 16)

Le Nazioni Unite hanno dichiarato il 1994 L'Anno Internazionale della Famiglia per aiutare a rafforzare "la più piccola democrazia nel cuore della società". Le poste del Canada hanno assecondato la mozione producendo un unico foglio souvenir, con 5 francobolli ritagliati da un panorama di scene di vita familiare. (pagina 20)

Essendo la Foglia di Acero (Maple leaf) da lungo tempo un emblema della identità nazionale del Canada, era appropriato celebrare Canada Day con un pannello di 12 francobolli che ritraggono alberi di Acero da tutte le parti del paese, includendo le 10 specie indigene e 2 varietà importate. (pagina 22)

BILLY BISHOP e "La Bolduc" hanno guadagnato reputazioni leggendarie per i loro rispettivi talenti : Bishop come l'asso volante durante la Prima Guerra Mondiale e Mme Bolduc come cantante, autrice di canzoni e violinista. Ambedue nati 100 anni fa, i due Canadesi sono onorati con due francobolli. (pagina 24)

Ora al secondo anno la storica serie sui veicoli continua con un Foglio souvenir raffigurante sei veicoli del servizio pubblico : un tram, un vagone di polizia, uno spazzaneve, un motore a fuoco, un autobus e una ambulanza militare. (pagina 26)

Il 50° anniversario dell'Organizzazione Internazionale dell'Aviazione Civile è stato un motivo per un francobollo commemorativo. La sola agenzia dell'ONU con base in Canada, l'ICAO promuove la sicurezza e l'efficienza della aviazione civile in più di 180 paesi. (pagina 28)

La Vita Preistorica in Canada ha quest'anno una serie che mette in evidenza 4 animali : l'ippopotamo nel Coryphodon, il Megacerops, Arctodus simus o l'orso dalla faccia corta, e il Mammuthus primigenius o il Mammuth di lana. (pagina 30)

I francobolli di Natale di quest'anno pagano un tributo ai cantanti che così gioiosamente esprimono lo spirito della stagione. I francobolli marcano anche il centenario del Coro Mendelssohn di Toronto e della Massey Hall di Toronto. (pagina 32)

L'intervento del Canada nella Seconda guerra mondiale é stato commemorato quest'anno con 4 francobolli che mettono in luce l'atterraggio dell'Esercito Canadese su Juno Beach nel D-DAY, il ruolo dell'Artiglieria in Normandia, l'appoggio delle Forze Aeree Tattiche, e la liberazione dell'Isola Walcherer e dell'estuario Scheldt. (pagina 34)

Quest'anno le Poste del Canada hanno introdotto un concetto prorompente nel "design" dei francobolli : i primi francobolli al mondo "personalizzati" per le occasioni speciali come compleanni e matrimoni. Questi adesivi possono essere fatti con sistema "fai da te", piazzando una tra sette vignette nel centro del francobollo. (pagina 36)

Due luoghi pubblici di rilevanza sono rappresentati in un'altra collezione definitiva di alta qualita nella serie dell'Architettura Canadese – la Scuola Normale di Truro, Nuova Scozia, e il Palazzo di Giustizia di Yorkton, Saskatchewan. (pagina 38)

Alberi da frutta sono ancora una volta il suggetto di valori medi. Quest'anno vengono rappresentati la Mela della Neve, l'Albicocca di Westcot e Noci chiamate Shagbark Hickory. (pagina 40)

De Verzameling van Canadese Postzegels van 1994 begint met een herdenking ter ere van Mevrouw Jeanne Sauvé - een geliefde Canadese die op een veelbetekenende wijze bijgedragen heeft tot het openbaar leven als journaliste, parlementslid, woordvoerster van de Kamer van Volksvertegenwoordigers en Goeverneur-Generaal. (pagina 8)

De Canadese Post heeft dit jaar eer betuigd aan Eaton - een kleinhandel die 125 jaar geleden in Toronto gesticht werd door Timothy Eaton. Eaton heeft de industrie van de kleinhandel gerevolutioneerd door goederen te verkopen aan vaste prijzen, maar enkel tegen contanten, en eveneens door nieuwe begrippen in te voeren zoals de katalogus voor verkoop per correspondentie. (pagina 10)

Het vierde deel in een serie gewijd aan Canada's erfdeel aan rivieren beeldt in 1994 vijf rivieren uit die eens belangrijke routes waren voor het vervoer van pelzen : de Saguenay in Quebec, de French in Ontario, de Churchill in Saskatchewan en Manitoba, de Colombia in Brits Colombia en de Mackenzie in de Noordwestelijke Gebieden. (pagina 12)

Een verrukkelijk portret geschilderd door Frederick Varley versiert de zegel van dit jaar in de serie Meesterwerken van de Canadese Kunst. Vera is een monument voor de uitzonderlijke manier waarmee Varley verf gebruikte en eveneens voor de vrouw die hij "de grootste en enige invloed in mijn leven" noemde. (pagina 14)

De Spelen van de Commonwealth, die in Augustus in Victoria, Brits Colombia, plaats hadden, werden herdacht met twee reeksen zegels die zes van de vele opwindende sportieve gebeurtenissen voorstellen: lacrosse, cricket, rolstoel marathon, hoogspringen, duiken en wielersport. (page 16)

De Verenigde Naties hebben 1994 tot het Internationaal Jaar van de Familie uitgeroepen om "de kleinste democratie in het hart van de maatschappij" te helpen versterken. De Canadese Post heeft deze motie bijgestaan door een uniek souvenirblad uit te geven met vijf zegels die een panorama tonen uitbeelden die met de familie betrekking hebben. (pagina 20)

Vermits het esdoornblad al lange tijd het embleem is van Canada's nationale identiteit, was het gepast om de nationale feestdag (Canada Day) te vieren met twaalf zegels die esdoorns voorstellen uit alle delen van het land, namelijk de tien inheemse soorten en twee van de ingevoerde variëteiten. (pagina 22)

Billy Bishop en "La Bolduc" hebben legendarische beroemdheid verworven met hun respectievelijke talenten - Bishop als vliegende held tijdens de Eerste Wereldoorlog en Mevrouw Bolduc als zangeres, componiste en violiste. Beide Canadezen, die 100 jaar geleden geboren werden, werden geëerd met een paar zegels. (pagina 24)

De reeks historische voertuigen, nu in zijn tweede jaar, wordt voortgezet met een souvenirsblad dat zes openbare voertuigen voorstelt : een tram, een politiewagen, een sneeuwploeg, een brandweerwagen, een autocar en een militaire ziekenauto. (pagina 26)

De vijftigste verjaardag van de Internationale Organisatie van de Burgerlijke Luchtvaart (IOBL) gaf aanleiding tot een speciale herdenking. Als enig agentschap van de Verenigde Naties met een zetel in Canada, bevordert de IOBL de veiligheid en doelmatigheid van de burgerlijke luchtvaart in meer dan 180 landen. (pagina 28)

De reeks Prehistorisch Leven in Canada concentreert zich dit jaar op vier zoogdieren: de Coryphodon die op een nijlpaard lijkt, de Megacerops, de Arctodus simus of beer met kort gezicht, en de Mammuthus primigenius of wollige mammoet. (pagina 30)

De kerstzegels van dit jaar betuigen eer aan de zangers die met zoveel vreugde de geest van dat seizoen uitdrukken. De zegels gedenken eveneens het eeuwfeest van het Mendelssohn Koor en de Massey Hall van Toronto. (pagina 32)

De tussenkomst van Canada in de Tweede Wereldoorlog werd dit jaar herdacht met vier zegels die de landing op D-Dag van het Canadese leger op Juno Beach benadrukken, evenals de rol van de artillerie in Normandië, de steun van de tactische luchtmacht en de bevrijding van het eiland van Walcheren en de monding van de Schelde.(pagina 34)

Dit jaar heeft de Canadese Post een pioniers begrip ingevoerd in het ontwerp van zegels - de eerste "gepersonaliseerde" zegels ter wereld voor speciale gelegenheden zoals verjaardagen en huwelijken. Deze zelfklevende definitives kunnen op maat gemaakt worden door één van zeven verschillende vignettes in het midden van de zegel te plaatsen. (pagina 36)

Twee karakteristieke openbare bakens zijn afgebeeld op een andere serie van definitives van hoge waarde in de reeks "Canadese Architectuur" - de Normaalschool in Truro, Niew-Schotland en het Gerechtsgebouw in Yorkton, Saskatchewan. (pagina 38)

Fruitbomen zijn eens to meer het onderwerp van de definitives van gemiddelde waarde. Dit jaar wordt de Sneeuw appel afgebeeld, evenals de Westcot abrikoos en de hickory. (pagina 40)

1994年カナダ切手コレクションはまずジャンヌ・ソーベ女史の栄誉を讃える記念切手で始まります。ソーベ女史はジャーナリストとして、国会議員、下院議長として、更にカナダ総督として公的に多大な貢献を行い、国民の敬愛を一身に集めました。（8ページ）

カナダ郵政省は今年はデパート「イートン」に賞賛をこめてスポットをあてました。125年前ティモシー・イートンによりトロントで開始された小売業で、商品販売を定価現金取引のみとし、またカタログ通信販売という画期的な形式も導入して、小売業界に革命を起こしました。（10ページ）

カナダの川シリーズ第4回です。今年はかつて毛皮交易の重要なルートであった五つの河川を取り上げました。ケベック州サグネー川、オンタリオ州フレンチ川、サスカチュワン、マニトバ両州にまたがるチャーチル川、ブリティッシュ・コロンビア州コロンビア川そして北西準州マッケンジー川がセットになっています。（12ページ）

フレデリック・バーリーによる素晴らしい肖像画がカナディアン・アート傑作シリーズに彩を添えます。作品「ベラ」はバーリーの筆の非凡なタッチの記念碑であり、同時にこの画家が「私の人生に最大の影響を与えた」とする女性の記念碑です。（14ページ）

ブリティッシュ・コロンビア州ビクトリアで8月に開催されるイギリス連邦競技大会を記念し、2種類のセットが発行されます。手に汗握る競技種目の内から、代表的な6種目、ラクロス、ローン・ボール、車椅子マラソン、高跳び、飛び込み、自転車競技を選びました。（16ページ）

国連は1994年を国際家族年と宣言し、「社会の中心にある最小単位の民主主義」を強化しようとしています。カナダ郵政省も家族風景のパノラマ図からとった5枚セットのユニークな記念シートで、国連の運動を支援します。（20ページ）

カエデの葉は国旗にもあしらわれ、長い間カナダの国家としてのアイデンティティを象徴してきました。そこで建国記念日カナダ・デーを各地のカエデを取り上げた12枚セットで祝います。10種は国産、2種は外国産です。（22ページ）

ビリービショップと「ラ・ボルデュック」はそれぞれの才能で伝説的な人物となっています。ビショップは第一次世界大戦の空のエースとして、ボルデュック夫人はシンガー・ソングライター及びバイオリニストとして活躍しました。両名の生誕100年を2枚一組の切手で記念します。（24ページ）

カナダの車シリーズも2年目を迎えました。今回は公共目的に使われる車6種(市電、パトロールカー、除雪車、消防車、長距離バス、軍用救急車)のセットです。（26ページ）

国際民間航空機関 (ICAO) 50周年を特別に記念します。カナダにある唯一の国連機関 ICAO は、民間航空の安全と効率を世界180か国以上で推進しています。（28ページ）

今年の先史時代生物シリーズでは4種の哺乳動物が主役です。かばに似たコリボドン、メガセロプス、短顔熊アークトドウス・シムス、そして毛に覆われたマンモスのマンムトウス・プリミジェニウスを紹介します。（30ページ）

今年のクリスマス切手はこのシーズンの喜びを素晴らしく表現する歌い手達に敬意を表します。同時にトロント・メンデルスゾーン合唱団およびトロント・マッセイ・ホールの百周年記念ともなっています。（32ページ）

カナダは切手のデザインに斬新なコンセプトを導入しました。世界初の「個人用」切手の登場です。誕生日、結婚式などの特別な機会に最適です。この水不要の普通切手は7種のビネットから一つを選んで切手図案中央に配置するというカスタムメードです。（36ページ）

特色ある二つの公共建造物がカナダ建築シリーズとして取り上げられ、高額普通切手のセットになりました。ノバスコシア州トルローの師範学校とサスカチュワン州ヨークトンの裁判所です。（38ページ）

中額普通切手は再び果樹をテーマとしました。今年はスノー・アップル、ウェストコット・アプリコット、シャグバーク・ヒッコリーの三種です。（40ページ）

אוסף הבולים הקנדי לשנת 1994 נפתח בבול זכרון לכבוד הגב׳ ג׳אן סובה, הקנדית הנערצת שתרמה רבות לחיים הציבוריים כעתונאית, חברת פרלמנט, יושבת ראש בית המחוקקים ונציב-עליון. (עמ׳ 8)

הדאר הקנדי מציין השנה את רשת החנויות "איטונס" שהוקמה לפני 125 שנה על ידי טימותי איטון. הוא היה האיש שחולל מהפך בעולם המסחר בכך שהנהיג מחירים אחידים עבור מוצרים שנמכרו רק במזומנים. כמו כן הכניס חידושים כגון מכירה על פי קטלוגים באמצעות הדאר. (עמ׳ 10)

הופיע הסט הרביעי בסדרה המוקדשת לנהרותיה של קנדה. חמשת הנהרות המופיעים על גבי בולי שנת 1994 שמשו כל אחד כעורקים חשובים במסלול סחר הפרוות. ואלו הם: נהר הסאגניי שבמדינת קבק, נהר הפרנץ׳ במדינת אונטריו, נהר צ׳רצ׳יל בסאסקצ׳ואן ומניטובה, נהר קולומביה שבמדינת בריטיש-קולומביה ונהר מקנזי שבשטחים הצפון מערביים. (עמ׳ 12)

ציור דיוקן מעולה שצוייר בידי פרדריק וארלי מעטר השנה את הבול שהופיע בסדרה יצירות-מופת באמנות הקנדית. "ורה" מייצג לתפארת הן את השמוש המופלא שעשה אמן זה במכחוליו והן את דמות האשה אשר אותה כנה "זו שהשפיעה יותר מכל על מהלך חיי". (עמ׳ 14)

משחקי גביע חבר-העמים הבריטי שהתקיימו בחדש אוגוסט בעיר ויקטוריה שבמדינת בריטיש-קולומביה, זכו לציון בשני סטים של בולים המייצגים ששה סוגי הספורט המלהיבים שבתחמודדות הזו: לאקרוס, כדורת-דשא, מרתון כסא-גלגלים, קפיצה לגובה צלילה ואופנוע. (עמ׳ 16)

ארגון האו"ם קבע את שנת 1994 כ"שנת המשפחה", וזאת על מנת לסייע בחיזוקה של "הדמוקרטיה הקטנה ביותר הקיימת בלבה של החברה". הדאר הקנדי הביע את תמיכתו בכך שהוציא לאור גליון-מזכרת מיוחד הכולל חמישה בולים הגזורים מתוך תשקיף של מראות מתוך חיי המשפחה. (עמ׳ 20)

מאחר ועלה האדר משמש כבר מזמן כמסמל הזהות הקנדית, היה זה מן הראוי ש"יום קנדה" יצויין בסדרה בת תריסר בולים שכל אחד מהם מציג גם את אדר הסוויים מכל חלקי הארץ, כולל עשרת הזנים המקומיים ושניים מתוך הזנים המיובאים. (עמ׳ 22)

לביבלי בישופ ול "ילה בולדוק" יצאו מוניטין בזכות כישרוניהם המיוחדים. בישוף היה רב-טייס בתקופת מלחמת העולם הראשונה ואילו הגב׳ בולדוק התפרסמה כזמרת, מלחינה וכנרית. השניים, שנולדו לפני מאה שנה נתכבדו בצמד בולי קבע. (עמ׳ 24)

כעת בשנתה השנייה, סדרת כלי הרכב ההיסטוריים נמשכת בגליון מזכרת המוקדש לששה כלי תחבורה ציבוריים והם; חשמלית, ניידת משטרה, מפנה-שלג, מכונית כבאים, אוטובוס ואמבולנס צבאי. (עמ׳ 26)

יובל החמשים של איגוד התעופה האזרחית הבינלאומי שימש כמניע להנפקת בול זכרון מיוחד. אירגון זה הוא היחיד מבין גופי האו"ם הממוקם בקנדה, משימתו היא הפצת תודעת הבטיחות והיעילות של התעופה האזרחית בקרב למעלה מ-180 המדינות החברות. (עמ׳ 28)

הסדרה חיים פרה-היסטוריים בקנדה מתמקדת השנה בארבעה מן היונקים והם; הקוריפודון, דמוי-ההיפופוטם, המגצרוף, הארקטודוס סימוס או דב קצר-פנים, והממוטוס פרימיגניוס או ממותה צמרנית. (עמ׳ 30)

בולי חג המולד של שנה זו מביעים רחשי כבוד לאותם זמרים המבטאים ברננה את רוח העונה. בולים אלה מציינים כמו כן את שנת המאה ליסודה של מקהלת מנדלסון מטורונטו ואת הקמתו של אולם הקונצרטים מאסי באותה עיר. (עמ׳ 32)

מעורבותה של קנדה במלחמת העולם השנייה צויין השנה באמצעות ארבעה בולים הממחישים את נחיתת הצבא הקנדי על חוף ג׳ונו ביום "ד", את תפקידו של חיל התותחנים בנורמנדיה, את הסיוע שהגיש חיל האויר המבצעי וכן את שחרור האי וולכרן ומפרץ שלדט. (עמ׳ 34)

בשנה זאת הציג הדאר הקנדי תפיסה חדשנית בעיצוב בולים; הבול האישי הראשון מסוגו בעולם והמיועד לציון אירועים מיוחדים כגון ימי הולדת וימי נישואין. בולים אלה, הנדבקים מאליהם, ניתנים לעיצוב פרטי תוך קביעת אחד משבעה איורים במרכזו של כל בול. (עמ׳ 36)

שני אתרים ציבוריים מרשימים מופיעים על גבי סט נוסף של בולי קבע יקרי-ערך בסדרה "ארכיטקטורה קנדית" והם; בית-הספר נורמל שבטרורו, מדינת נובה-סקוטיה ובית-המשפט ביורקטון שבמדינת סאסקצ׳ואן. (עמ׳ 38)

ושוב מופיעים עצי פרי מעל בולי קבע בעלי הערך הבינוני. ביניהם תפוח-השלג, והמשמש הווסטקוט ואגוז הקריית על פני הסט הראשון, ואילו תפוח הגרבנשטיין, שזיף אלברטה והרמון האמריקני מופיעים על פני הסט השני. (עמ׳ 40)

Колекція поштових марок 1994 року Канади відкривається пам'ятной маркой у честь мадам Жанни Сове, видатної канадійки, яка зробила важливий вклад у громадську жизнь, як журналист, член парламенту, спікер палати громад та генеральний губернатор. (сторінка 8)

Канада Пост віддає належне Ітону - магазину роздрібного продажу, який був заснований 125 років тому Тімоті Ітоном. Ітон революціонізував індустрію роздрібного продажу: торгівля по завжди постійним цінам, а також такі нововведення, як каталоги замовлень поштою. (сторінка 10)

Четвертий комплект з серії, присвяченої річкам Канади, у 1994 року зображують п'ять дуже важливих торгових водних путі: Сагене у Квебеку, Френч у Онтаріо, Черчілл у Саскачевані і Манітобі, Колумбія у Британскій Колумбії, та Макензі у Північно-Західних Територіях. (сторінка 12)

Чудовий портрет змальований Фредериком Варле, прикрашає у цьому році серію шедеврів Канадського мистецтва. „Вера" є пам'ятник надзвичайної майстерністі самого Варле, а також жінки, яку він назвав „самий великий вплив на моє життя". (сторінка 14)

Гри Співдружністі Націй проводилися у серпні у Вікторії (Британьска Колумбія) і були святковані двома комплектами марок, що зображують шість самих захоплюючих спортивних змагань: гра в м'яча на трав'яному полі, трав'яні кулі, марафон на кріслах на колесах, стрибки у висоту, стрибки у воду та велосипедні змагання. (сторінка 16)

У 1994 році Організація Об'єднаних Націй проголосила Міжнародний Рік Сім'ї в напрямі допомогти зміцнювати „малу демократію у сердцеевині суспільства". Канада Пост підтримала почин ООН виходом пам'ятного листа с п'ятьома марками, що зображують панораму сцен сімейних стосунків (стотінка 20)

Оскільки кленовий листок вже давно є державним гербом Канади, було згоджено святкувати День Канади блоком з 12 марок, зображаючіх кленові листки з різних частин країни, включаючи десять місцевих видів, та дві увізні різновидності. (сторінка22)

Біллі Бішоп та „Ля Болдюк" заслужили легендарну репутацію за їх таланти: Бішоп — як льотчик — ас під час Другої Світової Війни; мадам Болдюк — як співачка, автор пісень та скрипаль. Оби два народжені 100 років тому, ці два канадійця були відзначені комплектом марок (сторінка 24)

Вже другий рік виходить серія історичних автомобілів; вона продовжується пам'ятним листом, який зображає шість автомобілів соціального транспорту: трамвай, поліцейський фургон, снігова повітродувка, пожежна машина, автобус та військова санітарна машина (сторинка 26)

50 річниця Міжнародної Організації Цивільної Авіації стала причиною для спеціального пам'ятного комплекту. Основана ООН у Канаді, ця організація підтримує безпечність та ефективність цивільної авіації більш чим у 180 країнах світу (сторінка 28)

Серія „Доісторичне життя у Канаді" у цьому році зображаё чотирьох ссавців: гіпопотам Корифодон, Мегацеропс, Арктодус сімус або короткомордий ведмідь, та Мамутус прімігеніус або шерстистий мамонт (сторінка 30)

У цьому році різдвяні марки віддають належне співакам, які так весело виражають дух Різдва. Марки також відзначають сторіччя хору Мендельсона в торонто, та Торонто'с Массей Холл. (сторінка 32)

У цьому році річниця Другої Світової Війни була відзначена чотирма марками, що виявляють основні моменти Канадьскої Армії на Джуно Біч, роль артилерії в Нормандії, підтримуючи бойової авіації, та визволення острова Волчерен і лиману Шельди (сторінка 34)

У цьому році Канада Пост вводить нову концепцію в дизайні поштових марок: перші у світі дособлювані поштови марки для таких особистих приводів, як день народження та вінчання. Ці самоклейкі марки могуть бути зроблені кожним. Для цього треба розмистити одну з семи різних віньєток у центрі марки. (сторінка 36)

Два характерних громадських орієнтира є представлені у другому комплекті марок великого номіналу, присвяченому Канадській архітектурі: „Нормал Скул" в Труро (Нова Шотландія) та „Корт Хауз" в Юктоні (Саскачеван) (сторінка 38)

Фруктові дерева знову стали об'єктом марок среднього номіналу. Зараз вони зображають „Снігове" яблуко, абрикос „Весткот" і чікорі (Сторінка 40)

The miniature works of art in this collection were made possible by the concerted efforts of many Canadian artists, including painters, illustrators, designers, photographers and typographers. The talented men and women who collaborated with Canada Post's design coordinators this year have not only thoroughly researched their subject to ensure

technical accuracy, but also created images that are workable – and beautiful – on an unusually small scale. Canada Post is proud of the wide range of artistic styles and interpretations these artists have brought to a difficult task.

Déployant des trésors d'imagination, des artistes canadiens – peintres, illustrateurs, graphistes, photographes et typographes – épaulés par les coordonnateurs de la Société canadienne des postes, ont signé les œuvres d'art miniatures réunies dans la *Collection des timbres-poste du Canada*.

Fruit d'une étude rigoureuse, les motifs présentent beauté et fidélité, malgré leur format réduit. C'est avec fierté que la Société canadienne des postes vous offre la *Collection* de 1994 où se côtoient une riche palette de styles et de démarches artistiques.

Jeanne Sauvé
Page 8

Jeanne Sauvé
Page 8

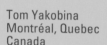

Tom Yakobina
Montréal, Quebec
Canada

Jean Morin
Montréal, Quebec
Canada

Hans Blohm
Ottawa, Ontario
Canada

Yousuf Karsh
Ottawa, Ontario
Canada

André Le Coz
Montréal, Quebec
Canada

Greg Lorfing
Houston, Texas
U.S.A.

Mike Pinder
Nepean, Ontario
Canada

Tom Yakobina
Montréal, Québec
Canada

Jean Morin
Montréal, Québec
Canada

Hans Blohm
Ottawa, Ontario
Canada

Yousuf Karsh
Ottawa, Ontario
Canada

André Le Coz
Montréal, Québec
Canada

Greg Lorfing
Houston, Texas
États-Unis

Mike Pinder
Nepean, Ontario
Canada

T. Eaton Company
Page 10

La Compagnie T. Eaton
Page 10

Louis Fishauf
Toronto, Ontario
Canada

Louis Fishauf
Toronto, Ontario
Canada

Canada's River Heritage
Page 12

Fleuves et Rivières du patrimoine canadien
Page 12

Malcolm Waddell
Toronto, Ontario
Canada

Jan Waddell
Toronto, Ontario
Canada

Malcolm Waddell
Toronto, Ontario
Canada

Jan Waddell
Toronto, Ontario
Canada

Masterpieces of Canadian Art
Page 14

Chefs-d'œuvre de l'art canadien
Page 14

Pierre-Yves Pelletier
Montréal, Quebec
Canada

Pierre-Yves Pelletier
Montréal, Québec
Canada

Commonwealth Games
Page 16

Jeux du Commonwealth
Page 16

Roderick Roodenburg
Vancouver, British Columbia
Canada

Roderick Roodenburg
Vancouver, Colombie-Britannique
Canada

David Coates
Vancouver, British Columbia
Canada

David Coates
Vancouver, Colombie-Britannique
Canada

International Year of the Family
Page 20

L'Année internationale de la famille
Page 20

Suzanne Duranceau
Montréal, Quebec
Canada

Suzanne Duranceau
Montréal, Québec
Canada

Canada Day
Page 22

La Fête du Canada
Page 22

Dennis Noble
Toronto, Ontario
Canada

Dennis Noble
Toronto, Ontario
Canada

Bernard Low
Ottawa, Ontario
Canada

Bernard Low
Ottawa, Ontario
Canada

Great Canadians
Page 24

Canadiens célèbres
Page 24

Pierre Fontaine
Longueuil, Quebec
Canada

Bernard Leduc
Montréal, Quebec
Canada

Pierre Fontaine
Longueuil, Québec
Canada

Bernard Leduc
Montréal, Québec
Canada

Historic Land Vehicles
Page 26

Véhicules historiques
Page 26

Tiit Telmet
Toronto, Ontario
Canada

Joseph Gault
Toronto, Ontario
Canada

Cameron Wykes
Toronto, Ontario
Canada

Tiit Telmet
Toronto, Ontario
Canada

Joseph Gault
Toronto, Ontario
Canada

Cameron Wykes
Toronto, Ontario
Canada

International Civil Aviation
Page 28

L'Aviation civile internationale
Page 28

Stuart Ash
Toronto, Ontario
Canada

Katalin Kovats
Toronto, Ontario
Canada

Silvio Napoleone
Toronto, Ontario
Canada

Stuart Ash
Toronto, Ontario
Canada

Katalin Kovats
Toronto, Ontario
Canada

Silvio Napoleone
Toronto, Ontario
Canada

Prehistoric Life in Canada
Page 30

La Vie préhistorique au Canada
Page 30

Rolf Harder
Pointe-Claire, Quebec
Canada

Rolf Harder
Pointe-Claire, Québec
Canada

Christmas
Page 32

Noël
Page 32

John Pylypczak
Toronto, Ontario
Canada

John Pylypczak
Toronto, Ontario
Canada

Diti Katona
Toronto, Ontario
Canada

Diti Katona
Toronto, Ontario
Canada

Nina Berkson
Montréal, Quebec
Canada

Nina Berkson
Montréal, Québec
Canada

Second World War
Page 34

La Seconde Guerre mondiale
Page 34

Pierre-Yves Pelletier
Montréal, Quebec
Canada

Pierre-Yves Pelletier
Montréal, Québec
Canada

Jean-Pierre Armanville
Montréal, Quebec
Canada

Jean-Pierre Armanville
Montréal, Québec
Canada

Greeting Stamps
Page 36

Timbres-souhaits
Page 36

Steve Spazuk
Montréal, Quebec
Canada

Steve Spazuk
Montréal, Québec
Canada

Daniel Fortin
Montréal, Quebec
Canada

Daniel Fortin
Montréal, Québec
Canada

George Fok
Montréal, Quebec
Canada

George Fok
Montréal, Québec
Canada

Adrien Duey
Montréal, Quebec
Canada

Adrien Duey
Montréal, Québec
Canada

Architecture
Page 38

Architecture
Page 38

Raymond Bellemare
Noyan, Quebec
Canada

Raymond Bellemare
Noyan, Québec
Canada

Fruit Trees
Pages 40

Arbres fruitiers
Pages 40

Clermont Malenfant
Montréal, Quebec
Canada

Clermont Malenfant
Montréal, Québec
Canada

Richard Robitaille
Saint-Lambert, Quebec
Canada

Richard Robitaille
Saint-Lambert, Québec
Canada

Denis Major
Montréal, Quebec
Canada

Denis Major
Montréal, Québec
Canada

	Photo Credits	Images
Jacket and page 1 **Jaquette et page 1**	Montage: Pierre-Yves Pelletier Design inc. (Richard Robitaille, Telmet Design Associates and Tilt)	Montage : Pierre-Yves Pelletier Design inc. (Richard Robitaille, Telmet Design Associates et Tilt)
4-5	Richard Robitaille	Richard Robitaille
6-7	Richard Robitaille	Richard Robitaille
8-9	National Archives of Canada PA 186704, PA 182418, PA 186714 Ottawa Citizen Yousuf Karsh	Archives nationales du Canada PA 186704, PA 182418, PA 186714 Ottawa Citizen Yousuf Karsh
10-11	T. Eaton Company Archives	Archives de La compagnie T. Eaton
12-13	Industry, Science and Technology Canada Canadian Heritage Rivers Secretariat	Industrie, Sciences et Technologie Canada Secrétariat des rivières du patrimoine canadien
14-15	National Gallery of Canada Canadian War Museum	Musée des beaux-arts du Canada Musée canadien de la guerre
16-17	Victoria Commonwealth Games Society – Ray Smith, Ted Grant, John Thompson, Julie Iverson Canadian Sport Images	La Société des Jeux du Commonwealth de Victoria Ray Smith, Ted Grant, John Thompson, Julie Iverson Canadian Sport Images
18-19	Canadian Sport Images – Christine Chew Victoria Commonwealth Games Society – Ted Grant Superstock / Four by Five – P.R. Productions	Canadian Sport Images – Christine Chew La Société des Jeux du Commonwealth de Victoria – Ted Grant Superstock / Photographie quatre par cinq – P.R. Productions
20-21	Industry, Science and Technology Canada Cathy Huguet	Industrie, Sciences et Technologie Canada Cathy Huguet
22-23	Montreal Botanical Garden – Jean-Pierre Bellemare, Roméo Meloche Industry, Science and Technology Canada Canadian Heritage Rivers Secretariat Adrien Duey	Jardin botanique de Montréal – Jean-Pierre Bellemare, Roméo Meloche Industrie, Sciences et Technologie Canada Secrétariat des rivières du patrimoine canadien Adrien Duey
24-25	National Archives of Canada PA 1654, PA 122514 Centre d'archives de la Gaspésie	Archives nationales du Canada PA 1654, PA 122514 Centre d'archives de la Gaspésie
26-27	Brian Grams J. Harris – Heritage Research Associates Canadian War Museum City of Winnipeg Police Department Canadian Railway Museum Tilt	Brian Grams J. Harris – Heritage Research Associates Musée canadien de la guerre Service de police de la ville de Winnipeg Musée ferroviaire canadien Tilt
28-29	Industry, Science and Technology Canada Air Canada – Brian Losito Air France Adrien Duey	Industrie, Sciences et Technologie Canada Air Canada – Brian Losito Air France Adrien Duey
30-31	Royal Ontario Museum Tyrrell Museum of Palaeontology – Alberta Community Development Royal British Columbia Museum	Musée royal de l'Ontario Tyrrell Museum of Palaeontology – Alberta Community Development Royal British Columbia Museum
32-33	Superstock / Four by Five – Tom Rosenthal, Neil Slavin The Little Singers of Mount Royal The Toronto Mendelssohn Choir	Superstock / Photographie quatre par cinq – Tom Rosenthal, Neil Slavin Les petits chanteurs du Mont-Royal Le chœur Mendelssohn de Toronto
34-35	National Archives of Canada – PA 171540, PA 136042, PA 116339, PA 128791, PA 130153, PA 140191	Archives nationales du Canada – PA 171540, PA 136042, PA 116339, PA 128791, PA 130153, PA 140191
36-37	Canapress Industry, Science and Technology Canada Superstock / Four by Five – Richard Heinzen	Canapress Industrie, Sciences et Technologie Canada Superstock / Photographie quatre par cinq – Richard Heinzen
38-39	Photo Services Limited Saskatchewan Property Management Corporation R. G. Hill Adrien Duey	Photo Services Limited Saskatchewan Property Management Corporation R. G. Hill Adrien Duey
40-41	Richard Robitaille / Denis Major Central Experimental Farm / Agriculture Canada Superstock / Four by Five – Lucy Rosenthal Publiphoto - P. Longus	Richard Robitaille / Denis Major Ferme expérimentale centrale – Agriculture Canada Superstock / Photographie quatre par cinq – Lucy Rosenthal Publiphoto - P. Longus
46-51	Richard Robitaille	Richard Robitaille

DAY OF ISSUE · JOUR D'ÉMISSION
94-03-08
PRUD'HOMME, SK.

EATON 125
DAY OF ISSUE · JOUR D'ÉMISSION
1869 1994
94-03-17
TORONTO, ONTARIO

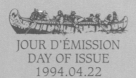

JOUR D'ÉMISSION
DAY OF ISSUE
1994.04.22
TADOUSSAC, QC

VARLEY
DAY OF ISSUE · JOUR D'ÉMISSION
94-05-06
VANCOUVER, BC.

DAY OF ISSUE · JOUR D'ÉMISSION
94-05-20
VICTORIA, BC

JOUR D'ÉMISSION · DAY OF ISSUE
1944-1994 50
94-09-16
MONTRÉAL, QUÉBEC

DAY OF ISSUE · JOUR D'ÉMISSION
94-09-26
EDMONTON, ALBERTA

DAY OF ISSUE · JOUR D'ÉMISSION
94-11-03
TORONTO, ONTARIO

DAY OF ISSUE · JOUR D'ÉMISSION
1944
94-11-07
OTTAWA, ONTARIO

DAY OF ISSUE · JOUR D'ÉMISSION
94-01-28
LOVE, SASKATCHEWAN

VARLEY
DAY OF ISSUE · JOUR D'ÉMISSION
94-05-06
VANCOUVER, BC.

DAY OF ISSUE · JOUR D'ÉMISSION
94-05-20
VICTORIA, BC.

DAY OF ISSUE · JOUR D'ÉMISSION
94-08-05
VICTORIA, BC.

DAY OF ISSUE · JOUR D'ÉMISSION
94-06-02
OTTAWA, ONTARIO

DAY OF ISSUE · JOUR D'ÉMISSION
94-06-30
MAPLE, ONTARIO

DAY OF ISSUE · JOUR D'ÉMISSION
1944
94-11-07
OTTAWA, ONTARIO

DAY OF ISSUE · JOUR D'ÉMISSION
94-01-28
LOVE, SASKATCHEWAN

DAY OF ISSUE · JOUR D'ÉMISSION
94-02-21
TRURO, NOVA SCOTIA

DAY OF ISSUE · JOUR D'ÉMISSION
94-02-25
SUMMERLAND, BC.

DAY OF ISSUE · JOUR D'ÉMISSION
94-03-08
PRUD'HOMME, SK.

DAY OF ISSUE · JOUR D'ÉMISSION
94-06-02
OTTAWA, ONTARIO

DAY OF ISSUE · JOUR D'ÉMISSION
94-06-30
MAPLE, ONTARIO

JOUR D'ÉMISSION · DAY OF ISSUE
94-08-12
NEWPORT, QUÉBEC

DAY OF ISSUE · JOUR D'ÉMISSION
94-08-19
WINNIPEG, MANITOBA

JOUR D'ÉMISSION · DAY OF ISSUE
1944-1994 50
94-09-16
MONTRÉAL, QUÉBEC

DAY OF ISSUE · JOUR D'ÉMISSION
94-02-25
SUMMERLAND, BC.

DAY OF ISSUE · JOUR D'ÉMISSION
94-03-08
PRUD'HOMME, SK.

EATON 125
DAY OF ISSUE · JOUR D'ÉMISSION
1869 1994
94-03-17
TORONTO, ONTARIO

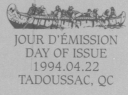

JOUR D'ÉMISSION
DAY OF ISSUE
1994.04.22
TADOUSSAC, QC

VARLEY
DAY OF ISSUE · JOUR D'ÉMISSION
94-05-06
VANCOUVER, BC.